écho

MÉTHODE DE FRANÇAIS
POUR L'AMÉRIQUE DU NORD

CAHIER PERSONNEL D'APPRENTISSAGE

J. Girardet - J. Pécheur
F. Olivry - D. Liakin - N. Liakina

A1

CLE
INTERNATIONAL
www.cle-inter.com

Direction de la production éditoriale : Béatrice Rego
Marketing : Thierry Lucas
Édition : Laurie Millet
Couverture : Griselda Agnesi
Conception et réalisation : Nada Abaïdia et Domino
Illustrations : Jean-Pierre Foissy

ISBN : 978-2-09-038510-6

Sommaire

N.B. Les activités d'écoute sont signalées avec le numéro de la piste d'enregistrement sur le CD.

Leçon 0

Parcours d'initiation

Comment vous vous appelez ?

Vocabulaire

monsieur (n. m.) ______

madame (n. f.) ______

appeler (s') (v.) ______

bonjour ______

merci ______

s'il vous plaît ______

LES MOTS DES EXERCICES

Apprenez / Apprendre ______

Écoutez / Écouter ______

Associez / Associer ______

Épelez / Épeler ______

Révisez / Réviser ______

Complétez / Compléter ______

Répondez / Répondre ______

Lisez / Lire ______

Imaginez / Imaginer ______

Conjuguez / Conjuguer ______

1. Révisez.

S'appeler — Tu t'appelles.

Je m'appelle. — Vous vous appelez.

2. Associez un dessin à une situation.

a. Comment vous appelez-vous ?
– Je m'appelle Jean.

______

b. Comment tu t'appelles ?
– Je m'appelle Clara.

______

c. Tu parles espagnol ?
– Oui, je parle espagnol.

______

d. Vous parlez italien ?
– Non, je ne parle pas italien.

______

3. Répondez.

a. Comment vous vous appelez ?

______

b. Tu t'appelles comment ?

______

c. Vous vous appelez comment ?

______

d. Comment tu t'appelles ?

______

4. Apprenez l'alphabet.

A B C D E F G H I J K L M N O P Q R S T U V W X Y Z

5. Épelez.

WILHELM FRANCESCA VINCENT DOLORES BURT

Vous parlez français ?

Vocabulaire

excusez-moi ______ parlement (n. m.) ______ parler (v.) ______

1. Révisez.

Parler
Je parle
Il parle
Elle parle
Tu parles
Vous parlez

2. Répondez.

a. Vous parlez français ? Oui, ______
b. Tu parles anglais ? Non, (*espagnol*) ______
c. Il parle espagnol ? Oui, ______
d. Elle parle portugais ? Non, (*italien*) ______
e. Vous parlez chinois ? Non. Moi (*allemand*) ______

Vous êtes allemande ?

Vocabulaire

café (n. m.) ______ nationalité (n. f.) ______ député (n. m.) ______
députée (n. f.) ______ chanteur (n. m.) ______ être (v.) ______

1. Révisez.

Être
Je suis
Tu es
Vous êtes
Il est
Elle est

2. Complétez avec « s'appeler », « être », « parler ».

a. Je (*s'appeler*) ______ Francesco Baldi.
Je ______ italien.
b. Vous ______ député ?
c. Non, je ______ chanteur.
d. Vous ______ français ?
e. Oui, je ______ un peu français.

3. Nationalité

a. Elle est française ? Non, elle est (*grec*) ______
b. Tu es espagnole ? Non, je suis (*portugais*) ______
c. Vous êtes française ? Non, je suis (*canadien*) ______
d. Elle est belge ? Non, elle est (*turc*) ______
e. Elle est (*suédois*) ? Elle est ______
Non, elle est (*allemand*) ______

Tu habites où ?

Vocabulaire

adresse (n. f.)	______	restaurant (n. m.)	______	hôtel (n. m.)	______
café (n. m.)	______	musée (n. m.)	______	avenue (n. f.)	______
rue (n. f.)	______	enfant (n. m.)	______	habiter (v.)	______

1. Révisez.

1 : un/une ; **2** : deux ; **3** : trois ; **4** : quatre ; **5** : cinq ; **6** : six ; **7** : sept ; **8** : huit ; **9** : neuf ; **10** : dix.

à ; en ; au ou aux ?

à + ville : à Marseille, à Montréal ; à Bruxelles ; à Dakar...

en + Pays : la France : en France ; la Grèce : en Grèce

au + Pays : le Brésil : au Brésil ; le Canada : au Canada

aux + Pays : les États-Unis ; aux États-Unis

2. Conjuguez

Habiter : j'______ ; tu ______

3. Complétez avec « à », « en », « au », « aux » ...

a. Tu habites où ?

______ Portugal ? ______ Espagne ? ______ île Maurice ?

b. Où est la tour Eiffel ?

______ Paris, ______ France

c. Où est le musée du Prado ?

______ Espagne, ______ Madrid.

d. Où est le Vieux Carré ?

______ États-Unis, ______ Louisiane, ______ La Nouvelle-Orléans.

e. Où est Copacabana ?

______ Rio de Janeiro, ______ Brésil.

Qu'est-ce que c'est ?

Vocabulaire

palais (n. m.)	______	quartier (n. m.)	______	monument (n. m.)	______	film (n. m.)	______
journal (n. m.)	______	place (n. f.)	______	boutique (n. f.)	______	banque (n. f.)	______
radio (n. f.)	______	télévision (n. f.)	______	théâtre (n. m.)	______		

1. Révisez.

Qu'est-ce que c'est ?

C'est ______ un musée / une tour ;

ce sont ______ des boutiques

mais

C'est le musée du Louvre / la tour Eiffel

les boutiques des Champs-Élysées

2. Complétez avec « un », « une », « des ».

______ place ; ______ monument ; ______ musées ;

______ palais ; ______ banques ; ______ boutique.

3. Complétez avec « le », « la », « l' », « les ».

a. ______ ville de Québec

b. ______ hôtel Reine Élisabeth

c. ______ château Frontenac

d. ______ restaurants du quartier Saint-Jean

e. ______ rues de la vieille ville

f. ______ place du musée

4. Complétez avec « un », « une », « des » ou « le », « la », « l' », « les ».

À Strasbourg

Le guide : Ici, c'est .... Parlement européen ; et là c'est .... place Kléber.

Une touriste : Et là qu'est-ce que c'est ? C'est .... musée ?

Le guide : Non, c'est .... restaurant célèbre.

Qui est-ce ?

Vocabulaire

touriste (n. m.)	....	guide (n. m.)	....	professeur (n. m.)	....
serveur (n. m.)	....	navigateur (n. m.)	....	premier ministre (n. m.)	....
comédien (n. m.)	....	musicien (n. m.)	....	homme (n. m.)	....
femme (n. f.)	....	scientifique (n. m.)	....	artiste (n. m.)	....

1. Révisez.

Pour identifier

C'est Paul, un professeur, un Belge, un professeur belge.

C'est le professeur de français.

Il est belge ; il est professeur de français.

2. Répondez.

a. Karine Vanasse, qui est-ce ? C'est .... comédienne, c'est .... comédienne de *Polytechnique*.

b. Qui est Pasteur ? C'est .... scientifique.

c. Comment s'appelle .... professeur de français ?

Il s'appelle François.

3. Caractérisez.

Chanteuse ; femme politique ; artiste ; homme politique ; comédien ; scientifique.

a. Mélanie Laurent est comédienne.

b. Mika est ....

c. Matisse est ....

d. Stephen Harper est ....

e. Rémy Girard est ....

f. Pauline Marois est ....

g. Céline Dion est ....

h. Marie Curie est ....

Vos papiers, s'il vous plaît ?

Vocabulaire

passeport (n. m.) ....

avocat (n. m.) ....

médecin (n. m.) ....

courriel (n. m.) ....

docteur (n. m.) ....

connaître (v.) ....

1. Remplissez votre fiche de renseignements.

Nom : ....

Prénoms : ....

Nationalité : ....

Profession : ....

Adresse : ....

N° de téléphone : ....

Courriel : ....

Cartes postales et messages

Vocabulaire

ami (n. m.)	______	groupe (n. m.)	______	soleil (n. m.)	______
fille (n. f.)	______	garçon (n. m.)	______	plage (n. f.)	______
carte postale (n. f.)	______	super (adj.)	______	blogue (n. m.)	______
aimer (v.)	______	regarder (v.)	______	sympathique (adj.)	______
village (n. m.)	______	francophone (adj.)	______	chercher (v.)	______

1. Révisez.

Conjuguez : je, il, elle, tu, vous...

Aimer : ______

______

Regarder : ______

______

Chercher : ______

______

2. Carte postale. Complétez.

Bonjour Pascale,

Je suis ____ Irlande, ____ Dublin.

J'habite ____ l'hôtel.

J'aime ____ cafés

____ ville est belle

et ____ mer est belle.

Bises

François

Pascale Vanier

87, avenue Boland

Sudbury, Ontario

P3E 1S7 CANADA

3. Je cherche... Complétez.

Nouveau message

Envoyer Discussion Joindre Adresses Polices Couleurs Enr. brouillon

De : Carlos

A : Sarah

Bonjour,

Je m'appelle Carlos.

Je suis étudiant ____ médecine générale.

Je parle quatre langues : ____ espagnol, ____ italien,

____ anglais et ____ français

J'habite ____ Sherbrooke ____ Québec.

J'aime ____ cinéma, ____ musique et ____ sport.

Je cherche ____ amis et ____ amies.

Vous comprenez ?

Vous allez apprendre à :

- ☑ vous présenter (nom, nationalité, lieu d'habitation)
- ☑ dire « je comprends » ou « je ne comprends pas »
- ☑ reconnaître les sons du français

Travail avec les pages Interactions

Vocabulaire

danse (n.f.) ______	tennis (n.m.) ______	s'appeler (v.) ______
• étudiant (n.m.) ______	tour (n.f.) ______	utiliser (v.) ______
fête (n.f.) ______	université (n.f.) ______	• bonjour ______
île (n.f.) ______	architecte (adj.) ______	comment ______
langue (n.f.) ______	francophone (adj.) ______	non ______
musée (n.m.) ______	• maternel (adj.) ______	où ______
parc (n.m.) ______	• comprendre (v.) ______	oui ______
pays (n.m.) ______	connaître (v.) ______	tout ______
professeur (n.m.) ______	être (v.) ______	très ______
pyramide (n.f.) ______	habiter (v.) ______	

Apprenez à vous présenter

1. Complétez la fiche.

COURS DE FRANÇAIS

FICHE D'INSCRIPTION

Nom : ______ Prénom : ______

Profession : ______

Nationalité : ______

Adresse : ______

2. Associez les dialogues et les dessins.

a. Comment vous appelez-vous ?
– Je m'appelle Barbara Dumont.

b. Tu es étudiante ?
– Oui, je suis étudiante.

c. Où habites-tu ?
– J'habite en Espagne.

d. Vous êtes professeur ?
– Oui, je suis professeur.

Apprenez le vocabulaire

3. Continuez les listes.

Montréal : les musées

____

L'université : les étudiants ______________________________

4. Observez les pages 6 et 7 du livre élève et cochez la bonne réponse.

	oui	non
a. L'Argentine est en Afrique.	☐	☐
b. Le Japon est en Asie.	☐	☐
c. New York est aux États-Unis.	☐	☐
d. Montréal est au Canada.	☐	☐
e. Le musée du Louvre est à Londres.	☐	☐

5. « Comprendre » ou « connaître » ?

a. Vous **comprenez** le français ?

– Non, ______________________________ .

b. Tu ______________________________ le Japon ?

– Non, ______________________________ .

c. Vous ______________________________ le professeur ?

– Oui, ______________________________ .

d. Vous ______________________________ l'espagnol ?

– Oui, ______________________________ .

e. Tu ______________________________ le musée ?

– Non, ______________________________ .

Distinguez le masculin et le féminin

6. Complétez avec « le », « la » ou « l' ».

a. le musée du Caire.

b. ________ pyramide du Louvre

c. ________ festival des films francophones

d. ________ tour de Pise

e. ________ île de Marie-Galante.

f. ________ université de Mexico

g. ________ parc de New York

Travail avec les pages Ressources

Vocabulaire

• acteur (n.m.)	________	film (n.m.)	________	vieux (adj.)	________
avenue (n.f.)	________	hôtel (n.m.)	________	• parler (v.)	________
cinéma (n.m.)	________	place (n.m.)	________	• salut	________
directeur (n.m.)	________	secrétaire (n.f.)	________	voici	________
festival (n.m.)	________	• international (adj.)	________		

Rappelez-vous

Les particularités du français

- Les verbes se conjuguent selon :
  → la personne : *je parle – tu parles – Pierre parle – Marie parle – nous parlons...*
  → le temps (présent, passé, futur)
- Les noms sont masculins ou féminins.
  le pays – la forêt

Apprenez la conjugaison

Les verbes en « -er »

1. Complétez les terminaisons.

parler	**habit**........
je parle	j'habit........
tu parles	tu habit........
il/elle parle	il/elle habit........
nous parl........	nous habitons
vous parl........	vous habitez
ils/elles parl........	ils/elles habitent

Les autres verbes

2. Conjuguez.

Comprendre : je .... ; tu .... ; il/elle .... ;
nous .... ; vous .... ; ils/elles ....

Connaître : je .... ; tu .... ; il/elle .... ;
nous .... ; vous .... ; ils/elles ....

3. Complétez le dialogue avec les verbes.

Pierre : Vous (*parler*) .... français ?

Maria : Euh ! Non. Je ne (*comprendre*) .... pas le français.

Enzo : Nous (*apprendre*) .... le français.

Pierre : Vous (*apprendre*) .... le français où ?

Enzo : À l'université Concordia. Tu (*connaître*) .... ?

Pierre : Oui, je (*être*) .... étudiant à Concordia.

Apprenez à faire des phrases

4. Complétez avec « en », « au », « aux », « à ».

a. Tu habites .... Chine ?
– Non, j'habite .... Toronto.

b. Vous habitez .... Sénégal ?
– Non, j'habite .... Canada.

c. Tu habites .... France ?
– Oui, j'habite .... Paris.

d. Tu habites .... États-Unis ?
– Non, j'habite .... Antilles.

5. « Ne ... pas » : Maria est différente de Barbara.

a. Maria habite à Ottawa.	**Barbara n'habite pas à Ottawa.**
b. Maria comprend le français.	Barbara … .
c. Maria connaît le musée.	Barbara … .
d. Maria … .	Barbara parle l'espagnol.
e. Maria … .	Barbara est mexicaine.

6. Posez la question.

a. Je parle français. Et vous, vous parlez français ?

b. Je comprends l'anglais. Et vous, … ?

c. Je suis américain. Et vous, … ?

d. J'habite New York. … ?

e. Je suis professeur. … ?

Distinguez le masculin et le féminin

7. Masculin ou féminin ?

a. Canada : Nelly Furtado est **canadienne**.

b. Mexique : Andy Garcia est … .

c. Italie : Monica Bellucci est … .

d. France : Marion Cotillard est … .

e. Espagne : Javier Bardem est …

8. Voici des titres de romans ou de films : dites s'ils parlent d'un homme ou d'une femme.

Exemple : **L'Étranger** → un homme

a. *L'Amant* : …

b. *Amélie Poulain* : …

c. *L'Étranger* : …

d. *Léon* : …

e. *Gabrielle* : …

f. *Marie-Antoinette* : …

Vérifiez votre compréhension

9. Répondez à des questions sur l'histoire « De l'autre côté de l'Atlantique ».

a. Noémie est étudiante ? …

b. Noémie est française ? …

c. Mélissa habite les Antilles ? …

d. Mélissa connaît Florent ? …

e. Lucas habite Marseille ? …

Entraînement à l'oral

Vocabulaire

• accueil (n.m.)
adresse (n.f.)
boulevard (n.m.)
café (n.m.)
cafétéria (n.f.)
chanson (n.f.)
chant (n.m.)
cité (n.f.)
comédie (n.f.)
croissant (n.m.)
danse (n.f.)
étranger (n.m.)
fiche (n.f.)
inscription (n.f.)
musique (n.f.)
nationalité (n.f.)
nom (n.m.)
prénom (n.m.)
préparation (n.f.)
profession (n.f.)
rue (n.f.)
stage (n.m.)
• aller bien (v.)
pouvoir (v.)
s'excuser (v.)
• alors
au revoir
bien sûr
bientôt
bonsoir
ensemble
là
madame
merci
monsieur
pardon
s'il vous plaît
super

Apprenez l'alphabet

1. 1 Prononcez l'alphabet.

A B C D E F G H I J K L M N O P Q R S T U V W X Y Z

2. 2 Épelez les noms.

a. Je m'appelle JULIE. **b.** Je m'appelle GÉRARD. **c.** Je m'appelle MARIA. **d.** Je m'appelle JEAN.

Vérifiez votre compréhension

3. 3 Écoutez. Associez avec les dessins.

4. 4 **Écoutez. Qu'est-ce qu'ils disent ? Associez les dessins et avec les phrases.**

_____ S'il vous plaît. _____ Merci. _____ Bonjour. _____ Excusez-moi. _____ Au revoir.

5. 5 **Écoutez. Singulier ou pluriel ? Notez dans le tableau.**

	a	b	c	d	e	f	g	h
singulier								
pluriel								

Prononcez

6. 6 **Écoutez et indiquez dans quelle syllabe se trouve le son « u ».**

	1	2	3
a.	☐	☐	☐
b.	☐	☐	☐
c.	☐	☐	☐
d.	☐	☐	☐
e.	☐	☐	☐
f.	☐	☐	☐
g.	☐	☐	☐

7. 7 **La conjugaison des verbes en « -er ». Écoutez et notez la prononciation.**

[ə] (e muet)	[ɔ̃] (on)	[e] (é)
Je parle français. Tu habites à Montréal. Elle s'appelle Marie. Les étudiants habitent la Cité.	Nous habitons Montréal. Nous parlons français.	Vous habitez New York. Vous parlez italien

8. 8 **Enchaînez : prononcez puis écoutez.**

a. Je m'appelle Antonio.
b. J'habite aux États-Unis.
c. Je suis espagnol.
d. Je parle italien.
e. Je suis étudiant.

9. 9 **Écoutez et mettez un « ? » si c'est une interrogation.**

a. Tu comprends ... ?...

– Non, désolée.

b. Je peux _____

– Tu peux.

c. Noémie, vous connaissez _____ Tu connais Noémie _____

– Oui, je connais.

d. Je m'appelle Lisa Dumont. Et vous, vous vous appelez comment _____

e. Vous êtes acteur ______

– Pardon ______

– Acteur ______

– Oui, bien sûr.

Pages Écrits et Civilisation

Vocabulaire

• banque (n. f.)	______	crêperie (n.f)	______	sushi (n.m.)	______
bar (n.m.)	______	gâteau (n.m.)	______	taco (n.m.)	______
centre culturel (n.m.)	______	restaurant (n.m.)	______	taxi (n.m.)	______
coiffure (n.f.)	______	stationnement (n.m.)	______		

Vérifiez votre compréhension

1. Trouvez le nom de ces lieux.

un salon de coiffure – une pharmacie – une crêperie – une boulangerie – un garage – une banque

a

b

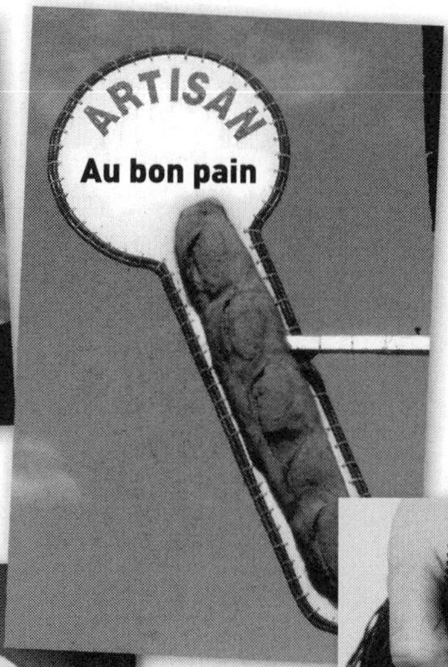

c

f

e

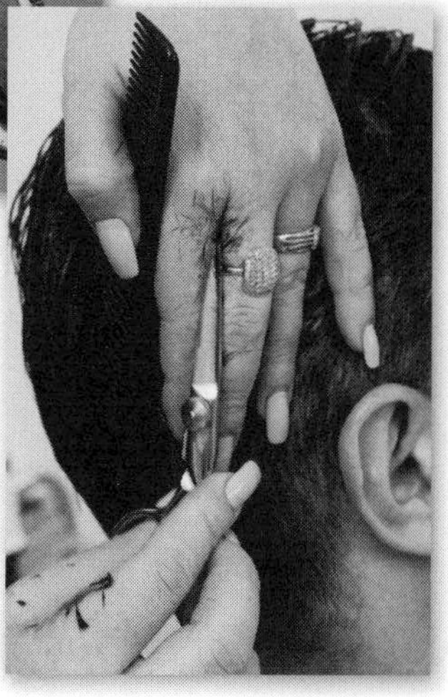

d

Tests

2. Vous connaissez le Canada ? Complétez

a. La capitale du Canada : ....

b. Le nom d'un joueur de hockey : ....

c. Le nom d'une actrice : ....

d. Le nom d'un acteur : ....

e. Le nom d'une chanteuse : ....

f. Le nom d'une province : ....

g. Le titre d'un film : ....

h. Le nom d'une banque : ....

i. Une marque de café : ....

j. Une grande ville : ....

3. Voici des mots français : ils sont passés dans d'autres langues. Cochez ceux que vous connaissez.

☐ bizarre
☐ élite
☐ soirée
☐ détail
☐ nuance
☐ blouson
☐ rendez-vous
☐ toilette
☐ eau de toilette
☐ dessert
☐ buffet

Au travail !

Vous allez apprendre à :

- ☑ présenter les personnes et les choses
- ☑ demander quelque chose et donner des informations
- ☑ interroger et répondre

Travail avec les pages Interactions

Vocabulaire

• artiste (n.m.)	______	homme (n.m.)	______	• beau (adj.)	______
avion (n.m.)	______	journal (n.m.)	______	célèbre (adj.)	______
bière (n.f.)	______	million (n.m.)	______	grand (adj.)	______
capitale (n.f.)	______	monde (n.m.)	______	national (adj.)	______
cellulaire (n.m.)	______	montre (n.f.)	______	politique (adj.)	______
chanteur (n.m.)	______	parfum (n.m.)	______	• aimer (v.)	______
chose (n.f.)	______	pays (n.m.)	______	avoir (v.)	______
femme (n.f.)	______	province (n.f.)	______	compléter (v.)	______
frontière (n.f.)	______	ville (n.f.)	______	• avec	______
gens (n.m.pl.)	______	vin (n.m.)	______	il y a	______
habitant (n.m.)	______	voiture (n.f.)	______	quel	______

Apprenez le vocabulaire

1. Cherchez le mot intrus.

Exemple : un musicien, un chanteur, **un croissant**, une musique

a. une cathédrale, un journal, une université, un musée
b. une île, une salle, un tableau, un professeur, un centre culturel
c. un acteur, un cinéma, un film, un festival, une bière
d. un avion, une rue, une avenue, un boulevard
e. un écrivain, écrire, un livre, un gâteau
f. une capitale, un pays, un habitant, une voiture, une frontière, un drapeau

2. Associez.

a. un artiste	**1.** la Nouvelle-Écosse
b. un parfum	**2.** Ottawa
c. une bière	**3.** Picasso
d. une province	**4.** la Blanche de Chambly
e. une montre	**5.** Toronto
f. une grande ville	**6.** Sidney Crosby
g. une capitale	**7.** Cartier
h. un sportif	**8.** Chanel n° 5

Demandez – Posez des questions

3. Complétez avec la question : « Qu'est-ce que c'est ? » ou « Qui c'est ? (Qui est-ce ?) ».

a. Qu'est-ce que c'est ? **– C'est le centre culturel.**

b. ______ – C'est la montre de Lucas.

c. ______ – C'est le parfum de Noémie.

d. ______ – C'est le professeur de danse.

e. ______ – C'est la musique du film.

f. ______ – C'est la secrétaire du directeur.

4. Se renseigner : complétez la question avec « quel » (quelle, quels, quelles), « où », « est-ce qu'il y a ».

Touristes dans la ville

a. ______ est le musée ?

b. Dans ______ salle il y a *La Joconde* ?

c. ______ une cafétéria dans le musée ?

d. ______ est le nom de la cathédrale ?

e. ______ sont les bons restaurants ?

f. C'est ______ université ?

Travail avec les pages Ressources

Vocabulaire

• ami (n.m.) ______

cathédrale (n.f.) ______

peintre (n.m.) ______

salle (n.f.) ______

tableau (n.m.) ______

• écouter (v.) ______

écrire (v.) ______

lire (v.) ______

regarder (v.) ______

Apprenez les conjugaisons

1. Complétez les conjugaisons.

lire	**écrire**
je lis	j' ______
tu ______	tu écris
il/elle ______	il/elle ______
nous lisons	nous ______
vous ______	vous écrivez
ils/elles ______	ils/elles ______

2. Mettez le verbe « avoir » à la forme qui convient.

À la Cité universitaire

a. Tu __**as**__ beaucoup d'amis ici ?

– J' ______ un ami vietnamien. Il s'appelle Lan.

b. Nous ________ des amis espagnols : Juan et Romina. Tu ________ une voiture ?

– Non, mais Lan ________ une voiture.

c. Juan et Romina ________ une voiture aussi.

Utilisez les articles

Rappelez-vous

■ Tous les mots sont masculins ou féminins. Les marques du féminin sont :

• « la » ou « une » devant le nom singulier. On voit et on entend *le/la, un/une.*

• la finale du mot (souvent « e »)
un ami/une amie – un boulevard/une rue

■ Souvent on n'entend pas cette marque : *ami = amie.*

■ Le « e » n'est pas toujours la marque du féminin.
une profession – un musée

3. Complétez avec « un/une », « le/la », « les »...

Culture

Vous connaissez...

a. __**le**__ tableau *La Joconde* **?**

b. ________ film *La grande séduction* ?

c. ________ romans de Dany Laferrière ?

d. ________ peintre Jean-Paul Riopelle ?

e. ________ acteur espagnol Antonio Banderas ?

Tourisme

Vous connaissez...

f. ________ adresse du restaurant ?

g. ________ bon hôtel ?

h. ________ rue du Louvre ?

i. ________ café célèbre à Montréal ?

j. ________ bonne pizzeria ?

4. Complétez avec « de/du », « de la », « de l' », « des ».

a. Tu lis __**des**__ livres ?

b. Tu écoutes ________ musique ?

c. Tu écris ________ chansons ?

d. Tu connais le nom ________ chanteur des Rolling Stones ?

e. Tu regardes ________ films français ?

f. Tu connais le nom ________ actrice *d'Amélie Poulain* ?

5. Parler de ses goûts : complétez avec « un/une/des », « le/la/l'/les ».

a. Tu connais ________ groupes canadiens ?

– Oui, je connais Simple Plan.

• C'est ________ groupe canadien ?

– Oui, ce sont ________ musiciens de la chanson « Jet-Lag ».

• Tu as ________ CD du groupe Simple Plan ?

– Oui, j'ai ________ CD « Get your heart on ! ».

b. Tu aimes ________ cinéma français ? Tu connais ________ actrice Audrey Tautou ? Et ________ dernier film de Jean Reno ?

– Oui, c'est ________ film d'action américain : *Da Vinci Code.*

Accordez les noms et les adjectifs

6. Accordez.

Goûts et préférences

a. Il aime les (*bon, hôtel*) ____________

b. Il aime les (*grand vin*) ____________

c. Elle aime les (*bon, comédie*) ____________

d. Nous aimons les (*politique, film*) ____________

e. Elle aime les (*sportif, voiture*) ____________

f. Il lit les (*journal international*) ____________

Présentez les personnes et les choses

7. Complétez les présentations.

a. C'est ____________ DVD.
C'est *La Marhe de l'empereur*. C'est ____________ film de Luc Jacquet.

b. C'est ____________ CD. C'est ____________ musique ____________ film *Virgin Suicides*. C'est ____________ musique du groupe Air.

c. C'est ____________ livre.
C'est ____________ dernier livre ____________ Amélie Nothomb.

8. Transformez les questions avec « est-ce que ».

a. Vous êtes danseur ? **Est-ce que vous êtes danseur ?**

b. C'est bon ? ____________

c. Tu aimes le chocolat ? ____________

d. Vous aimez le cinéma ? ____________

e. C'est ta langue maternelle ? ____________

f. Tu connais la secrétaire ? ____________

9. Elle parle de ses goûts. Parlez pour elle selon les indications. Utilisez les verbes *regarder*, *lire*, *écouter*.

(+) j'aime **(++) j'aime bien** **(+++) j'aime beaucoup** **(---) je n'aime pas**

a. les films (+++) **J'aime beaucoup regarder les films.**

b. les photos (++) ____________

c. la musique de films (+) ____________

d. le journal (+) ____________

e. les livres (++) ____________

f. la mer (---) ____________

g. les chansons (++) ____________

h. les tableaux (+) ____________

Entraînement à l'oral

Vocabulaire

• copain (n.m.)	photo (n.f.)	vouloir (v.) (je voudrais) ....
garçon (n.m.)	rythme (n.m.)	• après ....
livre (n.m.)	texte (n.m.)	beaucoup ....
musicien (n.m.)	• arrêter (v.)	bien ....
nouvelle (n.f.)	répéter (v.)	juste ....
pause (n.f.)	travailler (v.)	mais ....

Prononcez

1. 10 « Un/une » : répétez.

C'est un acteur	c'est une actrice
C'est un ami	c'est une amie
C'est un habitant	c'est une habitante
C'est un étranger	c'est une étrangère
C'est un étudiant	c'est une étudiante
C'est un homme	c'est une femme

Vérifiez votre compréhension

2. 11 Écoutez et associez avec le dessin.

1 2 3 4

Parlez

3. 12 Une Canadienne vous pose des questions. Répondez. Vérifiez votre réponse.

a. Vous habitez au Canada ? **– Oui, j'habite au Canada.**
– Non, je n'habite pas au Canada.

b. Vous travaillez à Toronto ? ....

c. Vous regardez la télévision ? ....

d. Vous regardez les films français ? ....

e. Vous comprenez ? ....

f. Vous lisez *La Presse* ? ....

g. Vous aimez les chansons de Céline Dion ? ....

Pages Écrits et Civilisation

Vocabulaire

- âge (n.m.) jeune (adj.)
- an (n.m.)
- animateur (n.m.)
- charme (n.m.)
- diplomate (n.m.f.)
- école (n.f.)
- émission (n.f.)
- enfant (n.m.)
- femme (n.f.)
- fille (n.f.)
- guerre (n.f.)
- immigrant (n.m.)
- information (n.f.)
- journaliste (n.m.f.)
- livre (n.m.)
- magazine (n.m.)
- nature (n.f.)
- parent (n.m.)
- passion (n.f.)
- présentatrice (n.f)
- téléjournal (n.m.)
- télévision (n.f.)
- théâtre (n.m.)
- village (n.m.)
- allophone (adj. ou nom)
- anglophone (adj. ou nom)
- charmant (adj.)
- diplômé(e) (adj.)
- féminin(e) (adj)
- francophone (adj. ou nom)
- jeune (adj.)
- nouveau (adj.)
- passionné(e) (adj)
- petit (adj.)
- • adorer (v.)
- animer (v.)
- étudier (v.)
- préférer (v.)
- • aussi
- autre
- dans
- ou

Apprenez le vocabulaire

1. Avec le vocabulaire des leçons 1 et 2, complétez les listes.

a. Dans le pays : **la province** ……

b. Dans la ville : **un théâtre** ……

c. À l'université : **un diplôme** ……

d. Les professions : **un/une journaliste** ……

2. Trouvez les adjectifs. Aidez-vous du dictionnaire.

a. charme → **charmant**

b. passion → ……

c. sport → ……

d. télévision → ……

e. profession → ……

f. femme → ……

Vérifiez votre compréhension

3. Quels sont ces documents ? Complétez-les pour vous.

Québec

Permis de conduire

4d L1531-171268-08

1

2

3 Date de naissance (A-M-J) :

8

15 Sexe

SPÉCIMEN

9 Classe(s) : 5

12 Cond. : A

16 Taille (cm) : 168

18 Yeux : BLEU

5 Nº de référence : PBMH92V70

4a Valide le (A-M-J) 2009-03-31 4b Expire le 2012-12-17

Paiement exigé chaque année à votre date anniversaire de naissance

1. Nom
2. Prénom(s)
8. Adresse

CANADA

PASSPORT

PASSEPORT

Type/Type: P

Issuing Country/Pays émetteur: CAN

Passport No./N° de passeport

Surname/Nom

Given names/Prénoms

Nationality/Nationalité: CANADIAN/CANADIENNE

Date of birth/Date de naissance: 01 JAN /JAN 85

Sex/Sexe: F

Place of birth/Lieu de naissance: OTTAWA CAN

Date of issue/Date de délivrance: 11 FEB /FÉV 10

Issuing Authority/Autorité de délivrance: GATINEAU

Date of expiry/Date d'expiration: 11 FEB /FÉV 15

SPÉCIMEN

P< << <<<<<<<<<<<<<<<<<<<<<<<<<<<<<<<

<0CAN8501019F1502110<<<<<<<<<<<<<<04

Médiathèque du Centre culturel

FICHE D'INSCRIPTION

Nom : ____________________

Prénom : ____________________

Adresse : ____________________

____

____

Tél : ____________________

Courriel : ____________________

Test

4. Ils sont célèbres au Canada. Quelle est l'origine de leur nom ?

Origine : *russe, haïtienne, japonaise, allemande, marocaine, grecque, monténégrine, portugaise, vietnamienne, polonaise*

a. Anthony Kavanagh ____________________

b. Milos Raonic ____________________

c. Nelly Furtado ____________________

d. Rachid Badouri ____________________

e. Wayne Gretzky ____________________

f. David Suzuki ____________________

g. Stroumboulopoulos ____________________

h. Cindy Klassen ____________________

i. Kim Thúy ____________________

j. Andrei Markov ____________________

On se détend ?

Vous allez apprendre à :

- ☑ parler des activités de loisir
- ☑ faire une proposition, accepter ou refuser
- ☑ dire que vous pouvez faire ou ne pouvez pas faire quelque chose

Travail avec les pages Interactions

Vocabulaire

• action (n.f.) ______
activité (n.f.) ______
atelier (n.m.) ______
aventure (n.f.) ______
basket-ball (n.m.) ______
club (n.m.) ______
concert (n.m.) ______
espace (n.m.) ______
exposition (n.f.) ______
fête (n.f.) ______
forme (n.f.) ______
forum (n.m.) ______
gymnastique (n.f.) ______
heure (n.f.) ______
Internet (n.m.) ______
jeu (n.m.) ______
journée (n.f.) ______
loisir (n.m.) ______
maison (n.m.) ______
octobre (n.m.) ______
ordinateur (n.m.) ______
patinoire (n.f.) ______
piano (n.m.) ______
piscine (n.f.) ______
radio (n.f.) ______
randonnée (n.f.) ______
réseau (n.m.) ______
résident (n.m.) ______
rap (n.m.) ______
rock (n.m.) ______
septembre (n.m.) ______
ski (n.m.) ______
soirée (n.f.) ______
spectacle (n.m.) ______
sport (n.m.) ______
vélo (n.m.) ______
vidéo (n.f.) ______
visite (n.f.) ______
visite (n.f.) ______
volley-ball (n.m.) ______
week-end (n.m.),
fin de semaine (n.f.) ______
yoga (n.m.) ______
• classique (adj.) ______
moderne (adj.) ______
• aller (v.) ______
devoir (v.) ______
faire (v.) ______
jouer (v.) ______
partir (v.) ______
patiner (v.) ______
proposer (v.) ______
rencontrer (v.) ______
rester (v.) ______
se détendre (v.) ______
venir (v.) ______
• un peu ______

Apprenez le vocabulaire

1. Lisez les petites annonces. Classez les activités.

➡ Randonnées
➡ Aventures en forêt
➡ Vélo de montagne
➡ Ski

Saguenay ACTiV'
L'Anse-Saint-Jean

SPORT ÉTUDES
• **Le matin** : votre cours de français
• **L'après-midi** : natation / tennis
• **Le soir** : concert / danse

ÉCOLANGUES
13, rue des Étuves –
34000 Montpellier – France

TOP FORME vous accueille…
Stretching
Yoga
Danses sud-américaines
Chaque mercredi : zumba
Hammam
6802, Boulevard Taschereau,
Brossard, Québec J4Y 1A2

Activités sportives	Activités culturelles	Activités éducatives	Activités de détente

2. Reliez.

a. faire du ski
b. faire du chant
c. aller sur Internet
d. faire des photos
e. faire du théâtre
f. faire de la danse

1. chanter
2. jouer
3. danser
4. skier
5. surfer
6. photographier

Utilisez les verbes *faire* et *jouer*

Rappelez-vous

- Faire du (de la) + activité : *faire du chant*
- Jouer du (de la, des) + instrument de musique : *jouer de la guitare*
  Jouer à (à la, aux) + jeu : *jouer au hockey*

3. Utilisez *faire* ou *jouer*.

a. Il **joue au** football.
b. Elle .... danse.
c. Il .... yoga.
d. Elle .... piano.
e. Il .... jeux vidéo.
f. Elle .... volley-ball.

4. Remplacez le verbe *faire* par *jouer* ou *écrire*.

a. Il fait du basket → **il joue au basket**.
b. Il fait du football → ....
c. Il fait de la guitare. → ....
d. Il fait un livre. → ....
e. Il fait du tennis. → ....
f. Il fait une chanson. → ....

Travail avec les pages Ressources

Vocabulaire

• décembre (n.m.) ....
jour (n.m.) ....
natation (n.f.) ....
nuit (n.f.) ....
plage (n.f.) ....
toilette (n.f.) ....
• fatigué (adj.) ....
• savoir (v.) ....
• chez ....
demain ....
ici ....
sans ....

Apprenez les conjugaisons

1. Complétez avec les verbes *faire* et *aller*.

faire	**aller**
je fais des photos	**je vais skier**
tu .... du cinéma	tu .... danser
il .... du ski	il .... surfer
elle .... de la danse	elle .... nager
nous .... du sport	nous .... jouer
vous .... du chant	vous .... lire
ils .... de la gymnastique	ils .... travailler
elles .... du yoga	elles .... chanter

Utilisez les prépositions

Rappelez-vous

- **à** + nom de ville — *Je vais à Paris.*
- **au** + nom de pays masculin — *Je vais au Portugal.*
- **en** + nom de pays féminin — *Je vais en Italie.*
- **aux** + nom de pays au pluriel — *Je vais aux États-Unis.*
- **au** (= à + le) — *Je vais au cinéma.*
- **à la** — *Je vais à la bibliothèque.*
- **aux** (= à + les) — *Je vais aux toilettes.*
- **à l'** (devant voyelle ou « h ») — *Je vais à l'hôtel.*
- **chez** + nom de personne — *Je vais chez Pierre.*

2. Compléter avec « à », « au », « à la », « à l' ».

a. Je vais faire du ski .... montagne.

b. Ils vont .... concert .... Toronto.

c. Elle fait une fête .... campagne.

d. Nous allons .... atelier photo du centre culturel.

e. Vous allez .... cinéma ou .... piscine ?

3. Complétez avec une préposition.

Vacances

a. Moi, je vais **en** Suisse.

– Et toi ?

– Moi, je vais faire de la randonnée .... Espagne.

b. Et lui ?

– Il va faire de la gymnastique .... Club Forme à Lévis.

c. Et elle ?

– Elle va faire un stage de yoga .... Inde.

d. Et eux ?

– Ils vont écouter un concert de rock .... Centre Bell, ... Montréal.

e. Et vous ?

– Nous allons .... Canada et .... États-Unis.

4. Complétez avec une préposition.

Mon emploi du temps

a. Le soir, je vais .... concert ou .... atelier hip hop.

b. L'après-midi, je vais .... cours de stretching ou .... piscine.

c. Le week-end, je vais .... des amis, ... Estrie, ... Magog.

Parlez des projets

5. Écrivez ce qu'ils vont faire demain.

a. Aujourd'hui, je travaille.
(rester à la maison) Demain, **je vais rester à la maison.**

b. Aujourd'hui, elle regarde la télévision.

(lire le journal) Demain, ...

c. Aujourd'hui, nous faisons du sport.

(rencontrer des amis) Demain, ...

d. Aujourd'hui, tu joues aux jeux vidéo.

(faire de la musique) Demain, ...

e. Aujourd'hui, ils se détendent.

(aller à l'université) Demain, ...

Rappelez-vous

■ Pour exprimer :

– le souhait	→ **Je voudrais** + infinitif	*Je voudrais partir en vacances.*
– l'obligation	→ **Je dois** + infinitif	*Tu dois travailler.*
– l'interdiction	→ **Je ne dois pas** + infinitif	*Vous ne devez pas regarder la télévision.*
– la possibilité	→ **Je peux** + infinitif	*Je peux rester ?*
– l'impossibilité	→ **Je ne peux pas** + infinitif	*Je ne peux pas faire l'exercice.*
– la capacité	→ **Je sais** + infinitif	*Je sais parler russe.*

Apprenez les conjugaisons

6. Complétez.

pouvoir	**devoir**	**savoir**
je peux	je dois	je sais
tu	tu	tu ....
il/elle peut	il/elle	il/elle ....
nous pouvons	nous devons	nous savons
vous	vous	vous ....
ils/elles peuvent	ils/elles	ils/elles ....

7. Complétez les dialogues.

Exemple : Tu veux jouer ? – Non, je **dois** apprendre la leçon.

a. Tu veux venir cette fin de semaine ?

– Je voudrais bien mais je .... répéter.

b. Tu travailles ?

– Non, je .... aller chez des amis.

c. Vous voulez rester ?

– Non, on ne ______ pas, on ______ partir.

d. Noémie ______ faire le stage de chant. Elle peut venir ?

– Oui, mais elle ______ rencontrer le professeur.

8. Répondez selon les indications. Vérifiez la réponse.

Qu'est-ce que vous faites le week-end ?

a. Vous allez au cinéma ?

– **Oui, je vais au cinéma. / Non, je ne vais pas au cinéma.**

b. Vous allez au théâtre ?

– Oui, je ______

c. Vous faites du sport ?

– Oui, je ______

d. Vous jouez au tennis ?

– Non, je ______

e. Vous faites du vélo ?

– Oui, je ______

f. Vous restez chez vous ?

– Oui, je ______

9. Complétez avec « D'accord » ou « Excusez-moi ».

a. Demain, on va faire du jogging ?

– ______, à quelle heure ?

b. Est-ce que vous avez envie de venir ?

– Non, ______, je suis fatigué.

c. Vous venez faire de la randonnée avec moi ?

– ______, j'ai envie d'aller marcher.

d. On va au concert ?

– Non, ______. Je dois travailler.

e. Tu viens présenter le spectacle ?

– ______, à demain.

10. Complétez avec les verbes *savoir* ou *connaître*.

• Tu ______ la station de ski du Mont Orford?

– Oui.

• Tu ______ faire du ski ?

– Non, mais je voudrais apprendre. Tu ______ un bon professeur de ski ?

• Oui. Il y a un bon professeur au club. Mais je ne ______ pas comment il s'appelle.

Vérifiez votre compréhension

11. Répondez à des questions sur l'histoire « De l'autre côté de l'Atlantique », p. 26 et 27.

a. Lucas fait du jogging avec les filles ? ______

b. Quel rôle apprend Lucas ? ______

c. Où est-ce que Lucas veut aller ? ______

d. Lucas et Mélissa aiment danser? ______

e. Florent aime danser ? ______

f. Qui a le rôle de Quasimodo ? ______

Entraînement à l'oral

Vocabulaire

• capitaine (n.m.) ....
cours (n.m.) ....
discothèque (n.f.) ....
expression (n.f.) ....
jogging (n.m.) ....
note (n.f.) ....
problème (n.m.) ....
quartier (n.m.) ....
rôle (n.m.) ....
siècle (n.m.) ....
• faux (adj.) ....
jaloux (adj.) ....
laid (adj.) ....
pauvre (adj.) ....
• apprendre (v.) ....
avoir de la misère (expr.québ.) ....
avoir envie (de) (v.) ....
dire (v.) ....
entrer (v.) ....
traduire (v.) ....
vouloir dire (v.) ....
• d'accord ....
dommage ....
encore ....

Prononcez

1. 13 Écoutez. Écrivez le mot selon le son que vous entendez au début du mot.

Son « v »	Son « f »
va	la fête

Vérifiez votre compréhension

2. 14 Écoutez. Une jeune fille s'inscrit au club Loisirs de la ville. Complétez la fiche d'inscription.

Nom : .... Prénom : ....
Âge : ....
Profession : ....
Adresse : ....
Ville : ....
Téléphone : ....
Sports pratiqués : ....
Quelles sont vos sorties préférées ? ....
....
Quels spectacles aimez-vous ? ....
....
Loisirs à la maison : ....
....

Parlez

3. 15 **Vous ne pouvez pas. Répondez selon les instructions.**

a. Tu peux venir ? – Non, **je dois travailler.**

b. Tu veux jouer au tennis avec moi ? – Non, (*écrire à un ami*) ____

c. Tu viens faire du ski avec moi ? – Non, (*aller chez des amis*) ____

d. Tu viens faire une randonnée avec moi ? – Non, (*partir*) ____

e. Tu veux rester avec moi ? – Non, (*aller au cinéma*) ____

Pages Écrits et Civilisation

Vocabulaire

• amitié (n.f.) ____
côte (n.f.) ____
date (n.f.) ____
département (n.m.) ____
golf (n.m.) ____
goût (n.m.) ____
invitation (n.f.) ____
objet (n.m.) ____
océan (n.m.) ____
opéra (n.m.) ____
parc (n.m.) ____
paysage (n.m.) ____
programme (n.m.) ____
province (n.f.) ____
quartier (n.m.) ____
territoire (n.m.) ____
tradition (n.f.) ____
• cher (adj.) ____
magnifique (adj.) ____
national, nationaux (adj.) ____
sympathique (adj.) ____
varié (adj.) ____
• découvrir (v.) ____
oublier (v.) ____
visiter(v.) ____
• chaque ____
sur ____
pour ____

Apprenez le vocabulaire

1. Trouvez l'intrus.

a. la province – le territoire – l'océan – la région

b. apprendre – oublier – savoir – connaître

c. sympathique – charmant – dynamique – jaloux

d. golf – natation – plage – côte – mer – océan

2. Trouvez le contraire.

a. classique ≠ moderne

b. laid ≠ ____

c. international ≠ ____

d. petit ≠ ____

e. ancien ≠ ____

f. vrai ≠ ____

g. en forme ≠ ____

3. Trouvez le nom.

a. découvrir **une découverte**

b. oublier ____

c. rencontrer ____

d. traduire ____

e. lire ____

f. écrire ____

g. écouter ____

h. répéter ____

i. jouer ____

Test

4. Dites si les phrases suivantes sont vraies ou fausses.

	VRAI	FAUX
a. Juillet est la saison des fêtes et des festivals.	☐	☐
b. Les Îles-de-la-Madeleine sont au Nouveau-Brunswick.	☐	☐
c. On écoute du rock et du hip-hop à Joliette.	☐	☐
d. Val-d'Or est un festival d'humour.	☐	☐
e. Le Mont Jacques-Cartier est dans les Laurentides.	☐	☐
f. Il y a 3 provinces et 10 territoires au Canada.	☐	☐
g. On surfe dans le Saguenay.	☐	☐
h. Québec est une ville ancienne.	☐	☐

Vérifiez votre compréhension

1 **Cirque Diana Moreno Bormann.**- 112, rue de la Haie Coq (19e). 01 48 39 04 47. Pl. de 10 à 30€, -4 ans : gratuit. Les mer, sam, dim, fêtes et vac. scol. à 15h : ÇA C'EST DU CIRQUE ! *Un spectacle de cirque traditionnel.*

2 **EGLISE ST-GERMAIN-DES-PRES**
Jeudi 20 septembre à 20h30
VIVALDI Les 4 Saisons / MOZART / PACHELBEL / ALBINONI
LES ARCHETS DE PARIS - C. Guiot, violon solo
de 16 à 25 € - Loc. FNAC - VIRGIN - 01 42 77 65 65

3 **Bateaux Parisiens Tour Eiffel.** Tour Eiffel, Rive Gauche, Port de la Bourdonnais. M° Trocadéro. 0 825 01 01 01 (0,15€/mn). **Croisière commentée d'une heure** : ttes les heures de 10h à 14h et de 17h à 20h et ttes les 1/2 heures de 14h à 16h et de 20h à 22h. Tarif 10€, TR. 5€ (- 12 ans). **Croisière-déjeuner en paroles et musiques** (avec chanteuse à bord) : tlj à 12h15. Adulte à partir de 52€, TR. 31€ (- 12 ans). **Croisière-dîner avec orchestre** : tlj à 20h. Prix : à partir de 95€. Service Premier : 140€, rés. 0 825 01 01 01 (0,15€/ mn).

4 **Face à l'Impressionnisme, Jean-Jacques Henner, le dernier des Romantiques.** - Monographie du peintre. **Musée de la Vie romantique,** 16, rue Chaptal (9e). M° St-Georges. 01 55 31 95 67. Tlj (sf lun et fériés) 10h-18h. Ent. 7€, TR. 5,50€ et 3,50€. ***Jusqu'au 13 janvier 2008.***

5

6 **TAMBOUR ROYAL,** 94 rue du Faubourg du Temple, passage Piver, M° Goncourt (11e). Loc. 01 48 06 72 34. Pl. 21€, TR 16€.
Ven à 19h, sam à 15h, dim à 17h30. Pl. 24€, TR. 18€ :
D'après une idée de Benoît Riou, adaptation et mise en scène d'Antoine Schoumsky, avec, en alternance, Benoît Riou/Maxime Cohen (baryton), Florine Olivier/Valéria Altaver (soprano), Marie-Louise Nezeys/Anne-Lise Saint-Amans (piano) :
MOZART EN FRANCAIS
Trois personnages nous font revivre en français les plus grands opéras de Mozart. Entre humour et poésie, un voyage musical aux allures de parcours initiatique (1h20)

5. Des amis veulent voyager à Paris et ils ont envie de voir des spectacles. Lisez ces extraits de *L'Officiel des spectacles* de Paris. Trouvez une activité pour eux.

a. Il aime la peinture. ....

b. Elle veut aller au théâtre. ....

c. Il aime le cinéma. ....

d. C'est un enfant. ....

e. Elle veut visiter Paris. ....

f. Il aime la musique classique. ....

g. Elle aime les chansons. ....

h. Il adore l'opéra. ....

Racontez-moi

Vous allez apprendre à :

☑ dire ce que vous avez fait ou ce qu'une personne a fait
☑ dire et à demander la date et l'heure
☑ féliciter une personne

Travail avec les pages Interactions

Vocabulaire

acteur (n.m.) ______	astéroïde (n.f.) ______	courir (v.) ______
• actualité (n.f.) ______	dame (n.f.) ______	créer (v.) ______
parfum (n.m.) ______	ordinateur (n.m) ______	• gagner (v.) ______
cire (n.f.) ______	rendez-vous (n.m.) ______	ouvrir (v.) ______
rose (n.f.) ______	souvenir (n.m.) ______	• traverser (v) ______
désert (n.m.) ______	vacances (n.f.pl.) ______	aujourd'hui ______
personnage (n.m.) ______	• mode (n.f.) ______	hier ______
prix (n.m.) ______	entier (adj.) ______	

Apprenez le vocabulaire

1. Associez les mots de chaque colonne.

1. jour	**a.** PC
2. acteur	**b.** 24 heures
3. passe	**c.** souvenir
4. désert	**d.** Donald Sutherland, Leonardo DiCaprio
5. personnages	**e.** Dior, Gucci
6. ordinateur	**f.** 100 ans
7. siècle	**g.** Sahara
8. mode	**h.** hommes et femmes célèbres

2. Complétez avec les verbes de la liste.
découvrir – gagner – oublier – ouvrir – partir

a. Il a joué au Lotto 6/49. Il n'a pas ______.

b. Le matin, la boutique ______ à 10 heures.

c. Nous ______ en vacances en juillet. Nous allons ______ Cuba.

d. N' ______ pas de faire un peu de français tous les jours.

Vérifiez votre compréhension

3. Lisez le texte « Musée Grévin ». Les phrases suivantes sont-elles vraies ou fausses ?

	vrai	faux
a. Au musée Grévin, il y a des tableaux.	☐	☐
b. On peut voir les grands personnages de l'histoire.	☐	☐
c. Il y a aussi des artistes d'aujourd'hui.	☐	☐
d. Les personnages sont en cire.	☐	☐
e. Le musée n'est pas ouvert tous les jours de la semaine.	☐	☐

Comprenez les verbes au passé

4. Trouvez ces personnages de l'histoire « De l'autre côté de l'Atlantique ».

a. Elle est née aux Antilles. **Mélissa**

b. Il a travaillé à Toulouse. ……………

c. Elle a fait le voyage Montréal-Paris pour le stage « Musique et danse ». ……………

d. Ils ont appris le rôle de Quasimodo. ……………

e. Il a très bien chanté le rôle de Quasimodo. ……………

f. Il est arrivé au théâtre une heure avant le spectacle. ……………

Travail avec les pages Ressources

Vocabulaire

- **Les jours de la semaine :** lundi, mardi, mercredi, jeudi, vendredi, samedi, dimanche.
- **Les mois de l'année :** janvier, février, mars, avril, mai, juin, juillet, août, septembre, octobre, novembre, décembre.

• départ (n.m.)	……	soir (n.m.)	……	en retard	……
après-midi (n.m./f.)	……	• dernier (adj.)	……	midi	……
arrivée (n.f.)	……	prochain (adj.)	……	minuit	……
matin (n.m.)	……	• déjeuner (v.)	……	quand	……
minute (n.f.)	……	• en avance	……		

Apprenez la conjugaison du présent des nouveaux verbes

1. Complétez les conjugaisons.

ouvrir	**voir**	**dormir**
j'ouvre	je vois	je dors
tu ……	tu ……	tu ……
il/elle ……	il/elle ……	il/elle ……
nous ……	nous voyons	nous dormons
vous ……	vous ……	vous ……
ils/elles ouvrent	ils/elles voient	ils/elles ……

Apprenez la conjugaison du passé composé

Rappelez-vous

- On utilise le passé composé pour indiquer une action passée.
- On forme le passé composé avec :
  – ***avoir* + participe passé du verbe :** *Hier, j'ai dîné au restaurant.*
  – ***être* + participe passé** (avec les verbes *aller*, *venir*, *partir*, etc.) :
  Hier, je suis allé au restaurant.

2. **Observez la formation des participes passés. Notez vos remarques.**

verbes en *-er*

→ participe passé : ……………

aimer → aimé
préférer → ……………
habiter → ……………
fêter → ……………
écouter → ……………
regarder → ……………
travailler → ……………
aller → ……………
entrer → ……………
avoir → eu

verbes en *-oir* → participe passé : ……………

savoir → su
voir → ……………
vouloir → ……………

verbes en *-endre* → participe passé : ……………

comprendre → compris
apprendre → ……………

verbes en *-ir* → participe passé : ……………

partir → parti
dormir → ……………
venir → venu
ouvrir → ouvert
découvrir → ……………

3. **Complétez en mettant les verbes au passé composé.**

Le samedi de Kevin

a. Hier, samedi, j'(*faire*) …………… beaucoup de choses.
b. Le matin, Pierre et moi, nous (*jouer*) …………… au tennis.
c. J'(*gagner*) …………… .
d. À midi, j'(*dîner*) …………… avec Pauline.
e. L'après-midi, elle (*aller*) …………… chez une copine pour travailler.
f. Moi, je (*aller*) …………… au cinéma.
g. Le soir, des amis (*venir*) …………… chez moi.
h. Nous (*regarder*) …………… un film.

Utilisez la forme négative du passé composé

4. **Dimanche, vous avez travaillé toute la journée. Répondez à ces questions.**

a. Tu as fait du jogging dimanche matin ? –**Non, je n'ai pas fait de jogging dimanche matin.**
b. Tu es allé(e) au cinéma ?

……………

c. Tu as vu une exposition ?

……………

d. Tu es resté(e) chez toi ?

……………

Dites l'heure

5. **Écrivez les heures en chiffres.**

a. huit heures et quart : ……

b. onze heures et demie : ……

c. quinze heures dix : ……

d. sept heures moins vingt : ……

e. midi moins le quart : ……

f. une heure et quart : ……

6. **Écrivez en lettres les heures suivantes.**

a. 7 h 00 : ……

b. 9 h 25 : ……

c. 10 h 35 : ……

d. 11 h 30 : ……

e. 0 h 15 : ……

Apprenez le vocabulaire

7. **Complétez avec un nom formé d'après le verbe.**

a. (venir) La **venue** du Premier Ministre au Mexique.

b. (visiter) La …… du musée

c. (travailler) Le …… à faire

d. (rencontrer) Il a fait une ……

e. (entrer) L'…… des artistes

f. (arriver) L' …… du Tour de France

g. (rentrer) La …… des classes

h. (fêter) Le 1er juillet, la …… du Canada

8. **Répondez « oui » au professeur.**

a. Vous avez fait l'exercice ? – Oui, j'ai fait l'exercice.

b. Vous avez compris la grammaire ? – Oui, ……

c. Vous avez appris le vocabulaire ? – ……

9. **Vous ne connaissez pas la nouvelle. Répondez « non ».**

a. Tu as écouté la radio ? **– Non, je n'ai pas écouté la radio.**

b. Tu as lu le journal ? – Non, ……

c. Tu as regardé la télé ? – ……

Vérifiez votre compréhension

10. **Répondez à des questions sur Noémie. (histoire : « De l'autre côté de l'Atlantique »)**

- Noémie a fait le stage « Musique et danse » ? ……
- Elle est allée à Paris ? ……
- Elle a rencontré Mélissa et Florent ? ……
- Elle a dansé avec Florent ? ……
- Elle a joué dans « Notre-Dame de Paris » ? ……
- Elle est partie avec Maxime ? ……

Entraînement à l'oral

Vocabulaire

• amour (n.m.)		santé (n.f.)		continuer (v.)	
bravo (n.m.)		texto (n.m.)		dormir (v.)	
casting (n.m.)		• bizarre (adj.)		rentrer (v.)	
félicitation (n.f.)		génial (adj.)		voir (v.)	
jardin (n.m.)		intéressé (adj.)		• jusqu'à	
portable (n.m.)		• arriver (v.)		puis	

Prononcez

Rappelez-vous

- Attention à l'enchaînement :
  une heure — quatre heures
  six heures — neuf heures
  deux heures et quart — trois heures et demie

1. 16 Écoutez les heures. Notez et répétez.

a. 8 h 30
b. ______
c. ______
d. ______
e. ______

2. 17 Écoutez les dates. Notez et répétez.

a. mardi 1er janvier
b. ______
c. ______
d. ______
e. ______
f. ______

Parlez

3. 18 Répondez selon votre expérience.

a. Vous avez fait un voyage aux dernières vacances ?
– Oui, J'ai fait un voyage. / Non, je n'ai pas fait de voyage.

b. Vous êtes allé(e) à l'étranger ?

______

c. Vous avez visité une région ?

______

d. Vous avez vu de beaux paysages ?

e. Vous avez visité des musées ?

f. Vous avez découvert de bons restaurants ?

Vérifiez votre compréhension

4. 19 Écoutez ces dialogues. Associez-les avec les dessins. Transcrivez le dialogue.

1

2

3

4

Pages Écrits et Civilisation

Vocabulaire

- appartement (n.m.) ____
ascenseur (n.m.) ____
classe (n.f.) ____
clavardage (n.m.) ____
horaire (n.m.) ____
mot (n.m.) ____
nord (n.m.) ____
poste (n.f.) ____
supermarché (n.m.) ____
type (n.m.) ____
voisin (n.m.) ____
- premier (adj.) ____
- décider (v.) ____
demander (v.) ____
dîner (v.) ____
s'inscrire (v.) ____

Apprenez le vocabulaire

1. Continuez les séries avec deux ou trois mots.

a. mardi, mercredi, jeudi, ____

b. seconde, minute, ____

c. midi, 15 heures, 18 heures, ____

d. mars, avril, ____

e. matinée, après-midi, ____

Écrivez la présentation d'une personne

2. La comédienne Audrey Tautou vient dans votre ville pour la sortie de son nouveau film. Dans le journal de votre école, vous rédigez un petit article sur elle. Utilisez les informations suivantes. Vous pouvez aussi imiter l'article p. 20 de votre livre.
Exemple :

Le charme d'Audrey Tautou

Le cinéma français a une nouvelle actrice. Elle s'appelle Audrey Tautou. *(Continuez)*

____

____

____

____

____

____

____

____

Audrey Tautou

- **Née en** 1976 à Beaumont.
- Enfance en Auvergne.
- Bac (mention Bien). Études de lettres.
- Cours Florent à Paris (école pour la formation des acteurs).
- Piano et hautbois.

Caractère : indépendante, solitaire, discrète.

Films :

Vénus Beauté (1999) ; César du meilleur espoir féminin en 2000 pour ce film.
Célèbre pour *Le Fabuleux Destin d'Amélie Poulain* (2001) et *Da Vinci Code* (2006) (joue le rôle de Sophie Renaud).
Autres films : *L'Auberge espagnole* (2002) ; *Dirty Pretty Things* (2003) ; *Un long dimanche de fiançailles* (2004) ; *Da Vinci Code* (2006).

Loisirs : la photo ; le bricolage ; les voyages (Indonésie, Pérou).

Lectures préférées : Victor Hugo, Oscar Wilde, Paul Auster.

Préparation au DELF A1

• Compréhension orale

20 Écoutez les quatre témoignages et complétez la fiche.

	Prénom	Ville et pays	Goûts	Langue
a.				
b.				
c.				
d.				

• Production orale

Entraînez-vous pour l'entretien. Reliez les questions et les réponses.

1. Vous faites du sport ?
2. Quel est votre métier ?
3. Vous aimez le cinéma, le théâtre ?
4. Vous travaillez dans un journal ?
5. Vous habitez dans quelle ville ?
6. Votre nationalité ?
7. Vous avez quel âge ?
8. Vous parlez plusieurs langues ?

a. J'aime beaucoup les films policiers asiatiques.
b. Je fais de la randonnée.
c. Je travaille à la radio.
d. Je suis journaliste.
e. Belge.
f. J'habite à Lyon.
g. Je parle l'anglais, le flamand et j'apprends le français.
h. 29 ans.

• Compréhension écrite

AUX ÉLÈVES DE LA CLASSE DE TROISIÈME

La médiathèque est fermée du vendredi 11 à 14 h au mardi 15 à 14 h.
Les élèves doivent laisser les CD, DVD, livres au Secrétariat du Directeur des études, bâtiment A, avant lundi 18 h.

La documentaliste

	vrai	faux
a. Le message est adressé aux élèves de troisième.	☐	☐
b. La médiathèque est fermée cinq jours.	☐	☐
c. Les élèves ne doivent pas rendre les CD, les DVD et les livres.	☐	☐
d. Le secrétariat se trouve au bâtiment A.	☐	☐

• Production écrite

Vous cherchez une chambre d'étudiant : vous écrivez à la Cité internationale à Paris.
Mettez les éléments de cette lettre dans l'ordre.

a. Bologne, le 12 juillet 2013
b. Je cherche une chambre d'étudiant pour le mois d'octobre.
c. Je m'appelle Domenico Trapani, j'ai 25 ans, j'habite en Italie, à Bologne.
d. Monsieur le Directeur,
e. Je vous prie d'agréer mes salutations distinguées.
f. Domenico Trapani.
g. Je suis étudiant en droit international et je viens faire mes études de doctorat à Paris.

1. ....
2. ....
3. ....
4. ....
5. ....
6. ....
7. ....

Bon voyage !

Vous allez apprendre à :

- ☑ parler des voyages
- ☑ utiliser les moyens de transports
- ☑ montrer quelque chose, faire des comparaisons
- ☑ exprimer la possession

Travail avec les pages Interactions

Vocabulaire

bateau (n.m.)		liste (n.f.)		meilleur (adj.)	
campagne (n.f.)		monde (n.m.)		mystérieux (adj.)	
circuit (n.m.)		nature (n.f.)		pittoresque (adj.)	
corps (n.m.)		pied (n.m.)		spécial (adj.)	
découverte (n.f.)		pirogue (n.f.)		tranquille (adj.)	
eau (n.f.)		prix (n.m.)		• organiser (v.)	
euro (n.m.)		séjour (n.m.)		• loin / près	
formule (n.f.)		tente (n.f.)		mieux	
groupe (n.m.)		tête (n.f.)		moins	
hébergement (n.m.)		tour (n.m.)		plus	
jacuzzi (n.m.)		train (n.m.)		sous	
liberté (n.f.)		• intéressant (adj.)		trop	

Vérifiez votre compréhension du document p. 46-47

1. Associez chaque séjour à un moyen de transport.

a. Chutes du Niagara	**1.** à pied
b. Îles-de-la-Madeleine	**2.** en train
c. Rocheuses	**3.** en pirogue
d. Guyane	**4.** en voiture

2. Vrai ou Faux ?

	VRAI	FAUX
a. Marineland est loin des chutes du Niagara.	☐	☐
b. Forfait spa et hébergement, c'est pour être en forme.	☐	☐
c. Le séjour en Guyane propose l'hébergement sous la tente.	☐	☐
d. Dans les Rocheuses, on peut prendre le train.	☐	☐
e. Dans les Îles-de-la-Madeleine, on parle avec les habitants.	☐	☐

Apprenez le vocabulaire

3. Trouvez les mots qui correspondent à chaque dessin.

1

2

3

4

5

a. le type de voyage :

visite : ……

séjour : ……

circuit : ……

randonnée : ……

découverte : ……

b. les lieux :

la mer : ……

la montagne : ……

les monuments : ……

les beaux paysages : ……

la piscine : ……

c. les activités :

On se détend : ……

On visite des monuments : ……

On fait du sport : ……

On découvre des civilisations anciennes : ……

On fait de la natation : ……

4. Complétez avec « plus » ou « moins ».

a. Je préfère le piano, c'est …… classique.

b. J'adore le rap, c'est …… moderne.

c. Il joue au football, c'est …… sportif.

d. Elle fait du yoga, c'est …… fatiguant.

e. Il apprend le chinois, c'est …… intéressant.

f. J'apprends le français, c'est …… difficile.

Travail avec les pages Ressources

Vocabulaire

• animal (n.m.) ……

lac (n.m.) ……

lunette (n.f.) ……

mont (n.m.) ……

silence (n.m.) ……

• vert (adj.) ……

• chercher (v.) ……

mettre (v.) ……

prendre (v.) ……

Apprenez les conjugaisons

Rappelez-vous

Pour apprendre les conjugaisons :

- 1. Observez les verbes qui ont la même conjugaison.
prendre – comprendre – apprendre (*je prends, je comprends, j'apprends*)
partir – dormir (*je pars, je dors*)
- 2. Apprenez-les comme de petits dialogues.
Tu viens ? – Oui, je viens. Et Pierre, il vient ? Et Marie, elle vient ?
Vous venez ? – Oui, nous venons.
Ils viennent !

1. Observez et complétez les conjugaisons avec *prendre*, *comprendre* et *apprendre*.

Je (prendre) ………… le train.
Tu (comprendre) ………… l'explication.
Elle (apprendre) ………… le japonais.
Nous (prendre) ………… un café.
Vous (comprendre) ………… l'anglais ?
Ils (apprendre) ………… le ski.

2. Complétez la conjugaison de *mettre*.

Je mets mes lunettes — Nous mettons …………
Tu ………… — Vous …………
Il/Elle ………… — Ils/Elles …………

3. Mettez les verbes au passé.

a. Le mois dernier, Hélène (*partir*) ………… .
b. Elle (*mettre*) ………… ses affaires dans sa valise.
c. Elle (*prendre*) ………… le train pour Halifax.
d. Alors j'(*comprendre*) ………… .
e. J'(*apprendre*) ………… à vivre sans elle.

4. Parler du passé. Vous avez tout fait avant lui.

Grands voyageurs

a. En janvier, je vais au Japon. – **Je suis allé(e) au Japon.**
b. En février, je visite le Mexique. – …………
c. En mars, je fais une randonnée en Espagne. – …………
d. En avril, je passe dix jours en Chine. – …………
e. En mai, je travaille en Argentine. – …………
f. En juin, je pars au Portugal. – …………
g. Le reste de l'année, je découvre l'Afrique. – …………

Apprenez à comparer

Rappelez-vous

- Marie est grande. Hélène est **plus** grande.
- Marie est une **bonne** étudiante. Hélène est **meilleure**.
- L'hôtel du Centre est un **bon** hôtel. L'hôtel du Palais est **meilleur**.
- Hélène parle **bien** anglais. Marie parle **mieux**.

5. Complétez avec « plus », « moins », « aussi ».

a. Le prix du café est 1,90 $. La bière est ______ chère.

b. L'eau est ______ chère. Le chocolat chaud est ______ cher.

c. La bière est à 4,50 $. La boisson gazeuse est ______ chère.

d. Le vin est ______ cher.

Cafétéria
Nos prix

Eau de source	1,20 $
Café	1,90 $
Chocolat chaud	1,90 $
Boisson gazeuse	2,50 $
Bière	4,50 $
Vin	5 $

6. Comparez ces villes. Complétez avec « grand »/« petit » ou « plus »/« moins »/« aussi ».

Londres (3 millions) Paris (2,2 millions) São Paolo (10 millions)
New York (9, 3 millions) Rome (3 millions)

a. Rome a 3 millions d'habitants. New York est ______ grand.

b. Paris est plus ______.

c. São Paolo est plus ______.

d. Londres est ______ grand.

7. Comparez ces restaurants. Complétez avec « meilleur », « aussi bon », « moins bon ».

Restaurant du Parc * – Restaurant des Artistes ** – Restaurant du Festival – Restaurant du Musée *

a. Le restaurant du Parc est un bon restaurant.

b. Le restaurant du Festival est ______.

c. Le restaurant du Musée est ______.

d. Le restaurant des Artistes est ______.

8. Comparez des distances. Complétez avec « près / loin » ou « plus / moins / aussi ».

Montréal-Rimouski (500 km) – Montréal-Moncton (1000 km) – Saguenay-Montréal (500 km) – Ottawa-Montréal (200 km)

a. Rimouski est à 500 km de Montréal.

b. Moncton est plus ______.

c. Saguenay est ______ loin.

d. Ottawa est plus ______.

Apprenez à montrer

9. Complétez avec « ce », « cet », « cette », « ces »...

a. *Photos souvenirs*

Regarde **cette** photo. Tu connais ______ ville ? ______ maisons sont très anciennes et ______ palais est très moderne. Il y a aussi ______ cathédrale très classique. Nous avons dormi dans ______ hôtel.

b. *Goûts*

Tu écoutes ______ musique ? Tu aimes ______ animateur ? Tu connais ______ roman ? Tu lis ______ journaux ? Tu préfères ______ musiciens ?

10. **Complétez avec « ce », « cette », « un », « une », « le », « la »...**

a. Tu as vu ________ spectacle ?

– Oui, c'est ________ spectacle magnifique.

b. Tu connais ________ nom de ________ artiste américaine ?

– Oui, c'est ________ chanteuse de jazz.

c. Tu aimes ________ écrivain ?

– C'est ________ auteur des *Grandes marées* : Jacques Poulin.

d. Tu comprends ________ expression ?

– C'est ________ expression difficile.

11. **Utilisez « ce », « cette », « ces », etc. Répondez.**

On regarde les propositions sur « e-bay »

a. Qu'est que tu penses de la montre ? – **Ah, je voudrais bien cette montre !**

b. Qu'est que tu penses du piano ? – ________

c. Et le tableau de Monet ? – ________

d. Et les CD d'Arcade Fire ? – ________

e. Et l'ordinateur ? – ________

Exprimez la possession

12. **Associez les phrases et les situations. Complétez avec des possessifs.**

1

2

3

4

5

a. ________ / Ici c'est **mon** île, ________ maison, ________ atelier, ________ piscine.

b. ________ / Tu as oublié ________ montre, ________ livres, ________ portable.

c. ________ / Voici ________ professeur et ________ amis du stage.

– Je suis très heureux de faire ________ connaissance.

d. ________ / Visitez Lyon : ________ cathédrale, ________ musées, ________ université, ________ bonnes adresses.

e. ________ / Je connais ________ noms, ________ adresses et les noms de ________ copains.

13. **Répondez selon les instructions. Utilisez les possessifs.**

On regarde les photos

a. C'est ta rue ? – **Oui, c'est ma rue.**

b. C'est ta maison ? – Oui, ________.

c. Ce sont tes amis ? – Oui, ________.

d. C'est la maison de Florent ? – Oui, ________.

e. C'est l'amie de Florent ? – Non, ________.

f. Ce sont tes parents ? – Oui, ________.

g. C'est votre voiture ? – Oui, ________.

Entraînement à l'oral

Vocabulaire

• bébé (n.m.)
bienvenue (n.f.)
billet (n.m.)
bise (n.f.)
catalogue (n.m.)
chat (n.m.)
chéri (n.m.)
décision (n.f.)
gare (n.f.)
idée (n.f.)
maman (n.f.)
mari (n.m.)
mère (n.f.)
message (n.m.)
oiseau (n.m.)
papa (n.m.)
parent (n.m.)
père (n.m.)
sac (n.m.)
traversée (n.f.)
valise (n.f.)
• changer (v.)
laisser (v.)
noter (v.)
passer (v.)
penser (v.)
• parce que
pourquoi

Prononcez

1. 21 Distinguez « u » et « ou ». Écrivez le mot que vous entendez.

Son « u » [y]	Son « ou » [u]
salut	boulevard

2. 22 Cochez le son que vous entendez.

	1	2	3	4	5	6	7	8
b								
v								
f								

Vérifiez votre compréhension

3. 23 Écoutez.
Marie raconte sa journée de samedi. Complétez l'agenda.

Samedi	Samedi
8 h	15 h
9 h	16 h
10 h	17 h
11 h	18 h
12 h	19 h
13 h	20 h
14 h	21 h

Pages Écrits et Civilisation

Vocabulaire

• aéroport (n.m.) ....
aire de service (n.f.) ....
ambassade (n.f.) ....
autobus (n.m.) ....
autoroute (n.f.) ....
bouchon (n.m.) ....
car (n.m.) ....
carte d'embarquement (n.f.) ....
compagnie (n.f.) ....
consulat (n.m.) ....
contrôle (n.m.) ....
destination (n.f.) ....
douane (n.f.) ....
enquête (n.f.) ....
famille (n.f.) ....
métro (n.m.) ....
place (n.f.) ....
réservation (n.f.) ....
retour (n.m.) ....
route (n.f.) ....
station (n.f.) ....
sud (n.m.) ....
ticket (n.m.) ....
tramway (n.m.) ....
tranquillité (n.f.) ....
vitesse (n.f.) ....
vol (n.m.) ....
voyageur (n.m.) ....
• agréable (adj.) ....
bas (adj.) ....
content (adj.) ....
grave (adj.) ....
important (adj.) ....
joli (adj.) ....
rapide (adj.) ....
rouge (adj.) ....
• annuler (v.) ....
confirmer (v.) ....
magasiner (v.) ....
réserver (v.) ....
vérifier (v.) ....

Vérifiez votre compréhension

1. Lisez le texte « La longue fin de semaine de la fête du Travail » et remplissez le tableau.

	Sophie et Sylvain	Julie	Yves
Lieu de départ			
Destination			
Durée			
Moyen de transport			
Pourquoi ce moyen de transport			

Apprenez le vocabulaire

2. Complétez les couples.

a. Mon chien et **mon chat**
b. Mon père et ....
c. Ma maman et ....
d. Le mari et ....
e. Le train ou ....
f. Ma valise et ....
g. L'autobus ou ....
h. La route ou ....
i. L'ambassade ou ....
j. L'aller et ....

3. Complétez avec un verbe de la liste.

annuler – vérifier – laisser – mettre – passer – prendre

a. Pour aller de Winnipeg à Regina, vous ______________ le train ou l'avion ?

b. Dans la gare, avant de monter dans le train, il faut ______________ sa carte d'embarquement.

c. Elle a réservé une place sur le vol Toronto-Calgary mais elle ne peut pas partir. Elle doit ______________ sa réservation.

d. Quand vous faites une randonnée en montagne, vous ______________ des lunettes !

e. En juillet, nous ______________ deux semaines de vacances à la mer.

f. Quand nous partons en vacances, nous ______________ les clés de notre appartement à des amis.

4. Lisez ce document et répondez.

Vous allez à Paris pour les vacances ?

Prenez le train et visitez l'Europe !

TGV Lyria, direction la Suisse
Avec les TGV Lyria j'y vais plus vite
Paris-Genève : 3h22
Paris-Lausanne : 3h53
Paris-Bâle : 3h30

Thalys, départ pour la Belgique, les Pays-Bas, l'Allemagne...
Paris-Bruxelles : 1h25, 25 allers-retours quotidiens,
Paris-Anvers : 6 allers-retours quotidiens,
Paris-Amsterdam : 4h05, 5 allers-retours quotidiens
Paris-Cologne : 3h50, 6 allers-retours quotidiens

TGV EST Européen
Paris-Nancy : 1h30
Paris-Strasbourg : 2h20
Paris-Luxembourg : 2h06
L'Allemagne à 1h50 de Paris à 320 km/h
Paris-Stuttgart : 3h40

Eurostar
Un train toutes les heures. 2h15, directement au centre de Londres.

a. Pour aller en Grande-Bretagne, je prends ______________ .

b. Pour aller à Bruxelles, il y a ______________ .

c. Pour aller à Londres, je peux partir ______________ .

d. Pour aller à Bâle, je prends ______________ .

e. Pour aller à Strasbourg, je mets ______________ .

5. Lisez cette publicité.

Des milliers de vélos à votre disposition à Roulenville

VÉLOBEC

VÉLOBEC
→ *Pour travailler, magasiner, s'amuser*
VÉLOBEC
→ *Pour arriver rapidement*
VÉLOBEC
→ *Une station tous les 400 mètres ; 24 heures par jour et 7 jours par semaine*
VÉLOBEC
→ *Abonnement* **1 an : 85 $; 30 jours : 30 $ 24 heures : 5 $**

Info (114) 211-2122 - www.velobec.qc.ca

6. Retrouvez les informations.

a. Nom de la compagnie : ______________

b. Lieu : ______________

c. Type de transport : ______________

d. Pour quoi faire : ______________

e. Prix à l'année : ______________

f. Comment s'informer : ______________

g. Où s'informer : ______________

Unité 2

Leçon 6

Bon appétit !

Vous allez apprendre à :

- ☑ parler de nourriture et des habitudes alimentaires
- ☑ commander un repas au restaurant
- ☑ utiliser les articles
- ☑ exprimer la possession

Travail avec les pages Interactions

Vocabulaire

agneau (n.m.) ____
animation (n.f.) ____
assiette (n.f.) ____
banane (n.f.) ____
bleuet (n.m.) ____
bœuf (n.m.) ____
boisson (n.f.) ____
buffet (n.m.) ____
cantaloup (n.m.) ____
carotte (n.f.) ____
champignon (n.m.) ____
chou (n.m.) ____
cocktail (n.m.) ____
concombre (n.m.) ____
côtelette (n.f.) ____
crème (n.f.) ____
crème glacée (n.f.) ____
dessert (n.m.) ____
eau minérale (n.f.) ____
entrée (n.f.) ____
érable (n.m.) ____
feu d'artifice (n.m.) ____
fraise (n.f.) ____
frite (n.f.) ____
fromage (n.m.) ____
fruit (n.m.) ____
haricot (n.m.) ____
jambon (n.m.) ____
jus (n.m.) ____
lait (n.m.) ____
magicien (n.m.) ____
marché (n.m.) ____
mariage (n.m.) ____
menu (n.m.) ____
œuf (n.m.) ____
olive (n.f.) ____
orange (n.f.) ____
pâte (n.f.) ____
pâté (n.m.) ____
pâtisserie (n.f.) ____
plaisir (n.m.) ____
plat (n.m.) ____
plateau (n.m.) ____
poire (n.f.) ____
poisson (n.m.) ____
pomme (n.f.) ____
pomme de terre (n.f.) ____
porc (n.m.) ____
poulet (n.m.) ____
purée (n.f.) ____
réception (n.f.) ____
repas (n.m.) ____
riz (n.m.) ____
saison (n.f.) ____
salade (n.f.) ____
saucisse (n.f.) ____
saucisson (n.m.) ____
saumon (n.m.) ____
spécialité (n.f.) ____
sucre (n.m.) ____
tarte (n.f.) ____
thé (n.m.) ____
thon (n.m.) ____
tomate (n.f.) ____
traiteur (n.m.) ____
viande (n.f.) ____
yaourt (n.m.) ____
géant (adj.) ____
grillé (adj.) ____
noir (adj.) ____
rosé (adj.) ____
rôti (adj.) ____
végétarien (adj.) ____
• boire (v.) ____
manger (v.) ____

Vérifiez votre compréhension

1. Classez les mots du document des pages 54-55.

Les légumes	
Les charcuteries	
Les viandes	
Les poissons	
Les produits laitiers	
Les fruits	
Les pâtisseries	
Les boissons	

2. Repérez les mots du document (p. 54-55) qui parlent de :

a. une région : ...

b. une ville : ...

c. un pays : ...

3. Repérez dans le document les spécialités d'origine étrangère et classez ces plats.

Afrique	
Amérique	
Asie	
Europe	

Apprenez le vocabulaire

4. Donnez des exemples...

a. de plats avec un légume cru : ...

b. de plats avec une viande cuite : ...

c. de boisson sucrée : ...

d. de produit laitier salé : ...

5. Qu'est-ce que tu bois ? Continuez comme dans l'exemple.

Thé → **du thé**

Eau → ...

Lait → ...

Vin → ...

Bière → ...

Apéritif → ...

Eau minérale → ...

Cocktail → ...

6. Qu'est-ce que tu prends ?

Verre de vin → **un verre de vin**

Bière → **de la bière**

Tasse de thé → ...

Assiette de crudités → ...

Steak-frites → ...

Gâteau au chocolat → ...

Morceau de tarte → ...

Jus d'orange → ...

Crème glacée → ...

Confiture → ...

Travail avec les pages Ressources

Vocabulaire

• alcool (n.m.) ______ frère (n.m.) ______ verre (n.m.) ______
apéritif (n.m.) ______ morceau (n.m.) ______ • inviter (v.) ______
croustille (n.f.) ______ sœur (n.f.) ______

Utilisez les articles

Rappelez-vous

- Pour parler des choses ou des personnes différenciées ou comptables, on emploie : **un, une, des**.
  Exemples : *Je voudrais **une** crème glacée au chocolat.*
  *Il y a **des** étudiants dans la classe.*
- Pour parler des personnes et des choses indifférenciées non comptables, on emploie : **du, de la, de l'**.
  Exemples : *Au dessert il y a **de la** salade de fruits.*
  *Il y a **du** monde dans la rue.*
- Pour parler des choses et des personnes en général, on emploie : **le, la, l', les**.
  Exemples : *Je n'aime pas **la** crème glacée au chocolat.*
  ***Les** Canadiens dînent entre midi et 13h30.*

1. Complétez avec le bon article.

Phrases entendues dans un restaurant

a. Qu'est-ce que tu prends en entrée ?
– **Du** jambon, ______ salade, ______ champignons à la grecque, ______ pâté ?

b. Tu bois quoi ? ______ verre de vin ?
– Non, je préfère ______ eau minérale ou ______ bière.

c. ______ café est bon ici. Est-ce que vous voulez ______ café ?

d. J'aime bien ______ crème glacée napolitaine : est-ce qu'il y a ______ crème glacée au dessert ?

e. Vous prenez ______ saumon ?
– Non, je préfère ______ jambon.

f. Vous aimez ______ poulet ?
– Oui, avec ______ riz.

g. J'aime bien ______ gâteaux mais je préfère ______ fromage.

h. À midi, je mange ______ crudités, ______ fruits et je bois ______ eau minérale.

i. Comme boisson, qu'est-ce que vous prenez ? ______ vin, ______ bière ou ______ eau ?

j. Je voudrais ______ pain, s'il vous plaît !

2. Composez votre déjeuner préféré.

a. Je prends **du** thé, ________ toasts, ________ confiture et ________ yogourt.

b. Je bois ________ cappuccino ou ________ café au lait, et ________ jus de fruit.

c. Je mange ________ fruits, ________ fromage, ________ croissant, ________ charcuterie ou ________ œufs au bacon.

Thé, café au lait, cappuccino,
jus de fruit,
céréales, confiture, compote,
marmelade, bagels, muffins
toasts, tartines, croissants
beurre, yaourt
fromage, œufs au bacon, charcuterie

Posez des questions

3. Lisez la réponse et trouvez la question.

a. Vacances sportives

- **Est-ce que tu fais du sport ?** – Oui, je fais du sport.
- ________ ? – Je fais du vélo.
- ________ ? – En Mauricie.
- ________ ? – En juillet.
- ________ ? – Avec François, Annick et Daniel.
- ________ ? – Si, je fais aussi de la randonnée.

b. Soirée au concert

- ________ ? – Ce soir, je vais au concert.
- ________ ? – Je vais voir Stromae.
- ________ ? – Au Centre Bell.
- ________ ? – Ce soir à 21 heures.
- ________ ? – Avec Ludovic.

c. Rendez-vous chez le directeur

- **Est-ce que tu as rendez-vous avec le directeur ?** – Oui, j'ai rendez-vous demain.
- ________ ? – À son bureau.
- ________ ? – À 10 heures.
- ________ ? – Si, Hélène vient aussi au rendez-vous.

4. Posez la question comme dans l'exemple.

- **Avec qui part Nathalie ?** – Nathalie part avec Samuel.
- ________ ? – Moi, je pars avec Florence.
- ________ ? – Nous dormons à l'hôtel du Moulin.
- ________ ? – Si, j'ai réservé deux chambres.
- ________ ? – Nous arrivons à 10 heures.

Exprimez la possession

5. Confirmez comme dans l'exemple. Utilisez la forme « à moi », « à toi », etc.

On range l'appartement

a. C'est ton cellulaire ? – **Oui, il est à moi.**

b. C'est la montre de Philippe ? – ________

c. Sarah, Julie, ce sont vos sacs ? – ________

d. Ces BD sont aux enfants ? – ________

e. Cette radio n'est pas à toi, Ricardo ? – ________

Apprenez les conjugaisons

6. Mettez les verbes au temps qui convient (présent, passé composé, futur proche).

Nous (*aller*) .... à une fête chez Pierre.

J'(*manger*) .... des sushis et j'(*boire*) .... du champagne.

Louis n'(*aimer*) .... pas les sushis. Il (*prendre*) .... des toasts au saumon.

Nous (*rencontrer*) .... des amis australiens de Pierre.

Ils (*parler*) .... de leur pays.

L'année prochaine, nous (*faire*) .... un voyage en Australie.

Vérifiez votre compréhension

7. Répondez à ces questions sur l'histoire « La traversée du Québec ».

a. Est-ce que Florence et Samuel ont commencé leur voyage ? ....

b. Le premier soir, dans quelle ville se sont-ils arrêtés ? ....

c. À quel hôtel ont-ils réservé ? ....

d. Le deuxième jour, où ont-ils déjeuné ? ....

e. Qu'a mangé Florence ? ....

f. Qu'est-ce qu'elle a bu ? ....

Entraînement à l'oral

Vocabulaire

• cadeau (n.m.) ....
cidre (n.m.) ....
confiture (n.f.) ....
différence (n.f.) ....
erreur (n.f.) ....
lampe (n.f.) ....
miel (n.m.) ....
réceptionniste (n.m.) ....
salon (n.m.) ....
serveur (n.m.) ....
• différent (adj.) ....
même (adj.) ....
original (adj.) ....
pareil (adj.) ....
• attendre (v.) ....
commencer (v.) ....
finir (v.) ....
trouver (v.) ....
• presque ....

Prononcez

1. 24 Intonation de la question. Répétez.

Comment vas-tu ?
Que dis-tu ?
Qui vois-tu ?
Que cherches-tu ?
Où dînent-ils ?
Où dorment-elles ?
Que décides-tu ?
Qui connais-tu ?

2. 25 Rythme de la phrase négative. Répétez.

Elle ne prend pas de pain.
Il ne boit pas d'alcool.
Elle ne mange pas de jambon.
Il ne prend pas de cantaloup.
Elle ne boit pas de lait.
Il n'organise pas de fête.

Vérifiez votre compréhension

3. 26 Écoutez et notez le menu de chacun.

Elle	*Lui*

Parlez

4. 27 Apprenez à refuser. Répondez comme dans l'exemple.

- Tu prends du pâté ? – **Non, merci, je ne prends pas de pâté.**
- Tu bois du vin ? – ……
- Tu ne manges pas de pain ? – ……
- Tu veux du gâteau ? – ……
- Tu ne veux pas de tarte ? – ……
- Tu prends du café ? – ……

Pages Écrits et Civilisation

Vocabulaire

• air (n.m.)	……	endroit (n.m.)	……	soupe (n.f.)	……
ambiance (n.f.)	……	époque (n.f.)	……	table (n.f.)	……
beurre (n.m.)	……	façon (n.f.)	……	tartine (n.f.)	……
cantine (n.f.)	……	habitude (n.f.)	……	amical (adj.)	……
cantine (n.f.)	……	humeur (n.f.)	……	biologique (adj.)	……
céréale (n.f.)	……	mousse (n.f.)	……	exotique (adj.)	……
client (n.m.)	……	pain (n.m.)	……	familial (adj.)	……
costume (n.m.)	……	patron (n.m.)	……	• accueillir (v.)	……
cuisine (n.f.)	……	poésie (n.f.)	……	commander (v.)	……
déjeuner (n.m.)	……	questionnaire (n.m.)	……	imaginer (v.)	……
échecs (n.m.pl)	……	rire (n.m)	……	participer (v.)	……

Apprenez le vocabulaire

1. Associez les phrases de même sens.

a. J'ai fini.
b. Une seconde, s'il vous plaît.
c. Il n'est pas original.
d. C'est faux.
e. Ils sont très différents.

1. Il est pareil.
2. Vous avez fait une erreur.
3. C'est fait.
4. Ce ne sont pas les mêmes.
5. Attendez un peu.

2. **Continuez. Ajoutez deux verbes.**

a. Nous avons dîné au restaurant. **Nous avons commandé… Nous avons bu…**

b. J'ai fait un voyage en Gaspésie. ……

c. Ils ont cherché un hôtel. ……

d. Elle a visité la ville. ……

Vérifiez votre compréhension

3. Classez les informations de l'article page 60.

Nom du lieu	Situation	Type de cuisine	Décor	Animation

4. Retrouvez le lieu où ils sont allés.

a. Tu aimes les acteurs et les spectacles ? Eh bien, c'est pareil… ……

b. Moi, j'ai écouté de la musique. ……

c. J'ai joué aux échecs avec mes amis. ……

d. Hier, j'ai mangé un plat québécois dans une très vieille maison. ……

e. Le décor et la cuisine sont exotiques. ……

5. Lisez la recette et remettez les différentes opérations dans l'ordre.

SALADE DE POULET

- 3 blancs de poulet
- 2 avocats
- 150 g de salades variées
- Moutarde
- Vin blanc
- 75 g de crème fraîche
- Une tomate
- 10 g de beurre
- Sel
- Poivre

a. Ajoutez la crème fraîche puis la moutarde.
b. Préparez la sauce : mettez le vin blanc.
c. Ajoutez la tomate, l'avocat en morceaux, les blancs de poulet et les salades variées.
d. Ajoutez le sel et le poivre.
e. Lavez la salade.
f. Faites cuire les blancs de poulet 5 minutes.
g. Servez.

Quelle journée !

Vous allez apprendre à :

- ☑ parler de votre emploi du temps et de vos activités quotidiennes
- ☑ choisir, acheter, payer quelque chose
- ☑ donner des ordres ou des conseils

Travail avec les pages Interactions

Vocabulaire

• bain (n.m.) ________	• court (adj.) ________	se réveiller (v.) ________
courrier (n.m.) ________	gentil (adj.) ________	s'habiller (v.) ________
douche (n.f.) ________	plein (adj.) ________	s'occuper (v.) ________
étoile (n.f.) ________	• poser (v.) ________	sortir (v.) ________
glace (n.f.) ________	préparer (v.) ________	valider (v.) ________
magasin (n.m.) ________	se coucher (v.) ________	• devant ________
moment (n.m.) ________	se laver (v.) ________	quelque chose ________
projet (n.m.) ________	se lever (v.) ________	quelqu'un ________
question (n.f.) ________	se promener (v.) ________	tout de suite ________
réponse (n.f.) ________	se reposer (v.) ________	

Apprenez le vocabulaire

1. Regardez la bande dessinée. Écrivez ce qu'elle fait.

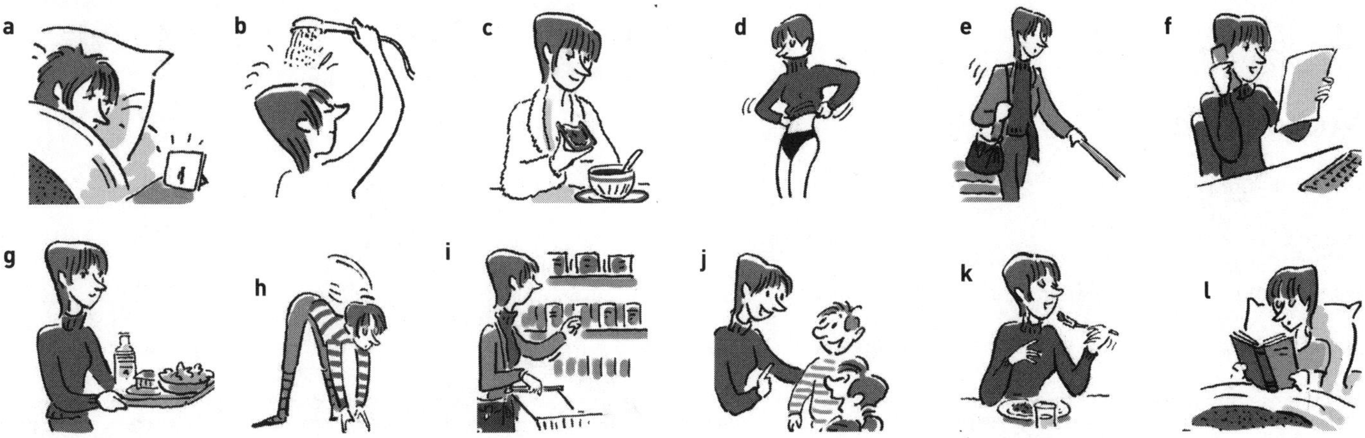

a. Elle se réveille.
b. ________
c. ________
d. ________
e. ________
f. ________
g. ________
h. ________
i. ________
j. ________
k. ________
l. ________

2. Classez ces activités.

a. Loisirs : ……………

b. Activités personnelles : ……………

c. Activités professionnelles ……………

1. partir au travail
2. dîner
3. faire du sport
4. rencontrer le directeur
5. se coucher
6. organiser un stage
7. aller au cinéma
8. faire des courses
9. confirmer un rendez-vous
10. s'habiller
11. travailler au restaurant
12. se doucher
13. préparer le dîner
14. se promener

3. Trouvez les noms correspondant à ces verbes.

a. se réveiller : **le réveil**
b. travailler : ……………
c. rentrer : ……………
d. se doucher : ……………
e. se baigner : ……………
f. déjeuner : ……………
g. partir : ……………
h. se promener : ……………
i. s'occuper : ……………
j. se reposer : ……………

Vérifiez votre compréhension

4. Relisez le document p. 62. Dites si les phrases suivantes sont vraies ou fausses.

	VRAI	FAUX
a. Emma prend le métro pour aller travailler.	☐	☐
b. Olivier est en pleine forme quand il se réveille le matin.	☐	☐
c. Laurie n'aime pas se coucher tard.	☐	☐
d. Alexia pense qu'elle n'est pas jolie.	☐	☐
e. Sophie aime rester chez elle.	☐	☐
f. Rose cherche des amis sympathiques.	☐	☐
g. Pierre a envie de sortir tous les soirs.	☐	☐

Travail avec les pages Ressources

Vocabulaire

• bonbon (n.m.) ……………
examen (n.m.) : ……………
papier (n.m.) ……………
sandwich (n.m.) ……………
stylo (n.m.) ……………
• se dépêcher (v.) ……………
s'endormir (v.) ……………
• personne ……………
plusieurs ……………
quelques ……………
rien ……………
tôt ……………

Apprenez les conjugaisons

Rappelez-vous

- Beaucoup de verbes ont :
  – une conjugaison normale : *je lave ma chemise*
  – une conjugaison pronominale : *je me lave*
- La conjugaison pronominale change le sens du verbe.
  a. sens réfléchi : *Il regarde le paysage. – Il se regarde dans la glace.*
  b. sens réciproque : *Pierre et Marie se parlent.*
  c. un autre sens : *Le vendeur rend la monnaie au client. – Pierre se rend à Paris (va).*

1. Complétez la conjugaison des verbes du type « se lever ».

je me lève	je ....
tu	tu t'habilles
il/elle	il/elle ....
nous nous levons	nous ....
vous	vous ....
ils/elles	ils/elle ....

2. Mettez les verbes au présent.

Camille et François travaillent la nuit

Le matin, je (*se réveiller*) .... tard. François aussi (*se lever*) .... tard.

Tous les deux, nous (*s'occuper*) .... d'une discothèque et nous (*se coucher*) .... à cinq heures du matin.

Nos enfants (*se lever*) .... seuls. Ils (*s'habiller*) .... et (*se préparer*) .... seuls le matin. Nous (*se voir*) .... quand ils rentrent de l'école.

Et toi, à quelle heure tu (*se lever*) .... ?

3. Mettez les verbes au passé composé. Camille raconte sa journée d'hier.

« Le matin, **je me suis réveillée** tard. François aussi ... »

....

....

....

....

4. On interroge Camille. Trouvez les questions.

a. **À quelle heure tu te lèves ?** – Je me lève à midi.

b. .... ? – Il se lève à la même heure.

c. .... ? – Nos enfants se préparent seuls le matin.

d. .... ? – On se voit l'après-midi.

e. .... ? – Ils se couchent quand nous partons travailler.

5. Pierre n'aime pas aller travailler. Son amie l'encourage. Répondez pour lui.

Pierre, tu te réveilles ?	– **Oui, je me réveille.**	Pierre, tu viens ?	– ....
Pierre, tu te lèves ?	–	Pierre, tu te prépares ?	– ....
Pierre, tu t'habilles ?	–	Pierre, tu te dépêches ?	– ....

6. On pose des questions à Pierre. Répondez pour lui.

Tu te réveilles tôt ? – **Non, je ne me réveille pas tôt.**

Tu te lèves tôt ? – **Non,** ……

Pour aller travailler tu te dépêches ? – **Non,** ……

Tu t'occupes des enfants ? – **Non,** ……

Tu te couches tôt le soir ? – **Non,** ……

7. Il fait des projets. Complétez avec la forme « *aller* + verbe à l'infinitif ».

Projets

• Qu'est-ce que **tu vas faire** ce soir ?

– Je (*se coucher*) …… tôt parce que demain, nous (*se promener*) …… dans la forêt de Fontainebleau.

• Moi, je (*aller*) …… à une soirée. Je dois partir à huit heures. Je (*se préparer*) …… .

– Alors, tu (*se coucher*) …… tard.

Donnez des instructions et des conseils

8. Répétez les instructions comme dans l'exemple.

a. Tu dois te réveiller tôt. **Réveille-toi tôt.**

b. Tu dois te coucher tôt. ……

c. Tu ne dois pas te coucher tard. ……

d. Vous ne devez pas manger beaucoup. ……

e. Vous devez vous reposer. ……

f. Nous devons nous promener tous les jours. ……

9. Conseils à un sportif.

a. Tu ne dois pas te coucher tard. – **Ne te couche pas tard !**

b. Tu ne dois pas beaucoup manger. – ……

c. Tu dois te détendre. – ……

d. Tu dois bien dormir. – ……

e. Tu ne dois pas te réveiller tôt. – ……

f. Tu ne dois pas boire d'alcool. – ……

10. Répétez les conseils comme dans l'exemple.

a. Vous devez être dynamiques. **Soyez dynamiques !**

b. Vous devez organiser votre travail. ……

c. Tu ne dois pas travailler tard. ……

d. Toi, tu dois te détendre. ……

e. Vous ne devez pas être fatigués. ……

f. Vous devez avoir du courage. ……

Utilisez les mots de quantité indéfinie

Rappelez-vous

■ Choix des mots de quantité.

Choses ou personnes différenciées ou comptables	Choses ou personnes indifférenciées ou non comptables
*Il y a **des** gens.*	*Il y a **du** monde.*
*J'ai bu **trois** cafés.*	*J'ai bu **du** café.*
*J'ai mangé **quelques** gâteaux.*	*J'ai bu **un peu de** Pepsi.*
*J'ai vu **beaucoup d'**amis.*	*J'ai rencontré **beaucoup de** monde.*

11. **Complétez avec « quelqu'un », « personne », « quelque chose », « rien ».**

Nouveaux résidents

a. Tu connais ________ dans cette ville ?
– Non, je ne connais ________ .

b. Tu as trouvé du travail ?
– Non, je n'ai ________ trouvé.

c. Tu fais ________ ?
– Non, je ne fais ________ .

d. ________ joue au tennis avec toi ?
– Non, ________ .

e. Tu as ________ à boire ?
– Non, je n'ai ________ .

12. **Complétez la recette du cocktail avec « un(e) », « des », « un peu de », « quelques », « beaucoup de ».**

a. ________ jus d'orange
b. ________ jus d'abricot
c. ________ rhum
d. ________ tranches de bananes
e. ________ tranche d'orange pour la décoration
f. ________ glaçons

Entraînement à l'oral

Vocabulaire

• balade (n.f.) ________
bruit (n.m.) ________
caravane (n.f.) ________
carte bancaire (n.f.) ________
chambre (n.f.) ________
chèque (n.m.) ________
chèvre (n.f.) ________
espèce (n.f.) ________
kilo (n.m.) ________
ours (n.m.) ________
œuvre (n.f.) ________
produit (n.m.) ________
résultat (n.m.) ________
• normal (adj.) ________
parfait (adj.) ________
• bouger (v.) ________
entendre (v.) ________
fabriquer (v.) ________
• combien ________
exactement ________
là-bas ________
peut-être ________
maintenant ________

Parlez

1. 28 **Vous êtes en vacances au Mexique avec des amis. Répondez.**

Vous vous levez tard ? – Oui, **nous nous levons tard.**
Vos amis se lèvent tard aussi ? – Oui, ________
Tu te détends ? – Oui, ________
Tu t'occupes de la cuisine ? – Non, ________
Tu te promènes ? – Non, ________
Vous sortez le soir ? – Oui, ________
Vous vous couchez tard ? – Oui, ________

2. 29 **Jour de départ en voyage. Répétez les instructions comme dans l'exemple.**

Tu dois préparer ta valise. – **Prépare ta valise !**

Tu dois t'habiller. – ______

Tu dois être à la gare à 8 h. – ______

Tu dois te dépêcher. – ______

Tu dois appeler un taxi. – ______

Tu ne dois pas oublier ton billet. – ______

Vérifiez votre compréhension

3. 30 **Écoutez ce dialogue entre le secrétaire et la directrice du centre culturel. Notez dans l'agenda.**

Lundi	Mardi	Mercredi	Jeudi	Vendredi	Samedi

4. 31 **Ils font la liste des courses. Écoutez et notez ce qu'ils doivent acheter dans le tableau.**

Qu'est-ce qu'il achète ?	Quelle quantité ?	Où ?

Pages Écrits et Civilisation

Vocabulaire

• addition (n.f.) ______

argent (n.m.) ______

bibliothèque (n.f.) ______

centime (n.m.) ______

code (n.m.) ______

état (n.m.) ______

facture (n.f.) ______

monnaie (n.f.) ______

monument (n.m.) ______

note (n.f.) ______

patrimoine (n.m.) ______

pièce (n.f.) ______

reçu (n.m.) ______

réduction (n.f.) ______

tarif réduit (n.m.) ______

téléphone (n.m.) ______

total (n.m.) ______

• historique (adj.) ______

public (adj.) ______

• acheter (v.) ______

coûter (v.) ______

partager (v.) ______

payer (v.) ______

rendre (v.) ______

Apprenez le vocabulaire

1. Dans quel magasin trouve-t-on les produits suivants ?

a. une bouteille de lait
b. une bouteille de vin
c. un journal
d. un stylo
e. un gâteau
f. un parfum
g. du pain
h. un livre
i. un magazine
j. du café
k. des croissants
l. du chocolat
m. de la bière
n. du fromage
o. des œufs
p. une tarte
q. de l'eau minérale
r. une crème glacée
s. des pommes

une épicerie	
une boulangerie	
une parfumerie	
une maison de la presse	

2. Associez les phrases et la situation.

a. Je peux avoir une chambre au cinquième étage ?
b. Je voudrais un reçu.
c. Voici votre facture.
d. Je voudrais changer 500 pesos.
e. Vous avez une carte d'étudiant ?
f. L'addition, s'il vous plaît.

1. au bureau de change
2. dans un restaurant
3. au guichet de la gare
4. à la réception de l'hôtel
5. dans un garage
6. en taxi, à l'arrivée

3. Trouvez la suite.

a. Elle paie avec sa carte de débit.
b. Elle paie la baguette de pain avec un billet de 20 $.
c. Elle fait une réservation au restaurant pour 50 personnes.
d. Elle va en France.
e. Elle achète une maison.

1. Elle demande une réduction.
2. Le vendeur rend la monnaie.
3. Elle discute le prix.
4. Elle change ses dollars en euros.
5. Elle tape son numéro de code.

4. Complétez avec « très » ou « trop ».

Opinion sur une comédie musicale

a. J'ai vu la comédie musicale « Les Ponts de Venise ». Les chanteurs sont **très** bons. Les musiciens sont ________ professionnels. Les décors sont ________ beaux et la chanteuse est ________ jolie.

b. Mais je n'ai pas tout aimé. Pour moi, la musique est ________ classique. L'histoire est ________ pauvre. Le spectacle est ________ court et les billets sont ________ chers !

Vérifiez votre compréhension

5. Dites si les phrases suivantes sont vraies ou fausses ?

	VRAI	FAUX
a. Le dollar est la monnaie du Canada.	☐	☐
b. Les Canadiens utilisent beaucoup les cartes de débit et de crédit.	☐	☐
c. Les musées sont gratuits tous les week-ends.	☐	☐
d. Les cinémas proposent des tarifs réduits tous les jours.	☐	☐
e. On trouve dans les grandes villes des journaux quotidiens gratuits.	☐	☐

6. Lisez ce document et répondez aux questions.

1

2

3

4

5

6

7

8

9

a. Qu'est-ce qu'on peut manger ? ....

b. Qu'est-ce qu'on peut boire ? ....

c. Quel est le prix d'une livre de côtelettes de veau ? ....

d. Quel aliment est biologique ? ....

e. Combien coûte une douzaine d'œufs ? ....

f. Il y a combien de cannettes de boissons gazeuses dans l'emballage ? ....

g. On a combien de croissants pour 2,99 $? ....

h. Quel est le prix d'une livre de crevettes ? ....

i. Qu'est-ce qu'on peut manger au déjeuner ? ....

j. Combien de bouteilles d'eau de source on peut acheter pour 5 dollars et 50 cents ? ....

Qu'on est bien ici !

Vous allez apprendre à :

- ☑ parler de votre lieu d'habitation
- ☑ vous orienter
- ☑ situer un lieu
- ☑ parler du climat

Travail avec les pages Interactions

Vocabulaire

ascenseur (n.m.)	pièce (n.f.)	neuf (adj.) ....
• banlieue (n.f.)	pied (n.m.)	vide (adj.) ....
commerce (n.m.)	rez-de-chaussée (n.m.)	vieux (adj.) ....
condominium (condo) (n.m.)	salle à manger (n.f.)	• louer (v.) ....
couloir (n.m.)	salle de bains (n.f.)	préciser (v.) ....
escalier (n.m.)	soleil (n.m.)	situer (v.) ....
étage (n.m.)	studio (n.m.)	souhaiter (v.) ....
formulaire (n.m.)	transport en commun (n.f.)	vendre (v.) ....
immeuble (n.m.)	villa (n.f.)	• à côté ....
kilomètre (n.m.)	• calme (adj.)	en face ....
logement (n.m.)	ensoleillé (adj.)	entre ....
mètre (n.m.)	équipé (adj.)	derrière ....
offre (n.f.)	isolé (adj.)	

Apprenez le vocabulaire

1. Associez l'habitation et sa définition.

a. un château	**1.** logement d'une pièce
b. une HLM	**2.** logement social à loyer modique
c. un immeuble	**3.** grande construction des siècles passés avec un parc
d. une maison de campagne	**4.** maison avec un jardin et une piscine
e. un studio	**5.** maison de week-end pour les habitants des villes
f. une villa	**6.** habitation collective en ville

2. Écrivez le nom des différentes pièces de cette maison.

3. Regardez le plan de la maison et complétez avec « à gauche », « à droite », « sur », « sous », « en face de », « à côté de », « entre ».

a. Quand on entre dans la maison, le salon est ________ .

b. ________ , il y a un bureau.

c. Ce bureau donne ________ le jardin.

d. La salle de bains est ________ les deux chambres.

e. La salle à manger est ________ du salon.

f. Les toilettes sont ________ la cuisine.

g. Le garage est ________ le salon.

4. Trouvez le contraire.

Vous préférez :

a. la ville ou **la campagne** ?

b. le centre-ville ou ________ ?

c. un appartement ou ________ ?

d. l'ancien ou ________ ?

e. meublé ou ________ ?

f. avec cuisine équipée ou ________ ?

g. acheter ou ________ ?

5. Lisez les petites annonces et classez les différents éléments.

A

À Vendre

Belle maison. 6 pièces sur un seul nivea
avec 2 salles de bains.
Garage + sous-sol. Près du centre-ville.
550 000 €

B

À Louer

- A côté de l'Université, grand studio clair.
- Bain et toilettes séparés. 5e étage sans ascenseur.
- 550 $ + charges

C

À Louer

Bel appartement dans immeuble ancien sur avenue ensoleillée.
4 pièces : salon, salle à manger, deux chambres. 3e étage.
Ascenseur.
1 000 $

D

À Vendre

Île-des-Sœurs, avec vue sur le fleuve. Maison style contemporain sur trois étages.
12 pièces refaites à neuf. 6 chambres avec salles de bains individuelles.
Piscine et jacuzzi. Tout confort. **Prix :** nous consulter.

	A	B	C	D
Location ou vente				
Type de logement				
Nombre de pièces				
Situation				
Caractéristiques				
Prix				

Travail avec les pages Ressources

Vocabulaire

• affaire (n.f.) ________	technique (adj.) ________	• à droite ________
aide (n.f.) ________	• avoir besoin de (v.) ________	à gauche ________
arbre (n.m.) ________	expliquer (v.) ________	arrière ________
église (n.f.) ________	falloir (il faut) (v.) ________	au bord ________
est (n.m.) ________	repartir (v.) ________	au milieu ________
ouest (n.m.) ________	revenir (v.) ________	avant ________
service (n.m.) ________	tourner (v.) ________	en haut ________
sommeil (n.m.) ________	traverser (v.) ________	tout droit ________
• malade (adj.) ________		

Apprenez à situer et à vous orienter

1. Il a rangé son studio. Observez le dessin et complétez ce qu'il dit.

a. J'ai rangé mon studio. Les livres sont ________ la bibliothèque.

b. J'ai mis mon bureau ________ la fenêtre.

c. Mon ordinateur est ________ le bureau.

d. ________ de la pièce il y a ma table.

e. J'ai mis un tapis ________ la table.

f. La télévision est ________ la bibliothèque et la fenêtre.

g. Mon canapé-lit est ________ de la bibliothèque.

2. Vous êtes à Montréal, devant le carré Saint-Louis. Complétez l'itinéraire pour aller au Musée d'art contemporain. Utilisez les verbes : *aller, continuer, visiter, tourner, arriver.*

Vous **prenez** la rue Saint-Denis.

Vous ________ jusqu'au feu.

Au feu, vous ________ à droite.

Vous ________ tout droit sur la rue Sherbrooke.

Au cinquième feu, vous ________ à gauche sur la rue Saint-Urbain.

Vous ________ au stationnement de la place des arts.

Vous ________ le Musée d'art contemporain.

3. Complétez les explications pour aller au service des passeports.
Utilisez les verbes : *traverser, prendre, sortir, aller, tourner*.

Pour le service des passeports, vous ________ au fond du couloir, vous ________ l'ascenseur.

Quand vous ________ de l'ascenseur, vous ________ à gauche.

Vous ________ la salle d'attente, vous ________ le couloir de droite, c'est le deuxième guichet à gauche.

Rappelez-vous

revenir – retourner – repartir – rentrer

- Ce soir, je vais à une réunion. Je **rentre** à la maison à 9 heures.
- Demain, je pars pour les États-Unis. Je **reviens** à la fin de la semaine.
  Mais lundi, je **repars** à l'étranger. Je vais à Tokyo.
- Je **retourne** à New York le mois prochain.

Apprenez à conjuguer

4. Complétez les conjugaisons du présent des verbes qui expriment les déplacements.

Aller (voir p. 22)

Venir : je viens ; tu ________ ; il/elle ________

nous venons ; vous ________ ; ils/elles viennent

Entrer (comme les verbes en *-er*)

Sortir : je sors ; tu ________ ; il/elle ________

nous ________ ; vous ________ ; ils/elles ________

Partir : je ________ ; tu pars ; il/elle ________

nous ________ ; vous ________ ; ils/elles ________

Arriver, rentrer, retourner (comme les verbes en *-er*)

Repartir (comme *partir*), **revenir** (comme *venir*)

Rappelez-vous

- Au passé composé, ***partir, arriver, rester, aller, venir, entrer, sortir, retourner*** se construisent avec **être**.
- Le participe passé s'accorde avec le sujet du verbe.
  Je suis allé(e) ; tu es venu(e) ; il est arrivé ; elle est restée ; nous sommes parti(e)s ; vous êtes venu(e)(s) ; ils sont sortis ; elles sont retournées.

5. Mettez les verbes à la forme qui convient.

Philippe raconte sa journée de travail

« Hier, j'ai eu une journée difficile.

a. Je (*partir*) ________ de Montréal par le premier avion. Je (*arriver*) ________ à l'aéroport de New York à 9 heures. Je (*aller*) ________ à la filiale, dans le centre-ville.

b. Nous (*aller*) ________ voir un client à son bureau, dans la banlieue de New York. Nous (*rester*) ________ deux heures avec lui.

c. Après ce rendez-vous, je (*revenir*) ________ en taxi au centre-ville. Je (*retourner*) ________ à la filiale. À 18 heures, je (*repartir*) ________ pour l'aéroport. Je (*rentrer*) ________ à Montréal à 22 heures. »

6. Exprimez l'obligation. Confirmez comme dans l'exemple.

En randonnée dans la montagne

a. Dépêchons-nous ! – Il faut se dépêcher.

b. Tournons à droite ! – ...

c. Continuons ! – ...

d. Ne restons pas ici ! – ...

e. Ne traversons pas cette rivière ! – ...

f. Ne prenons pas ce chemin ! – ...

Vérifiez votre compréhension

7. Vous avez bien compris le récit de Florence et Samuel ?

a. Est-ce que Florence et Samuel ont bien dormi ? ...

b. Est-ce qu'ils peuvent prendre la route de la randonnée ? ...

c. Pourquoi ? ...

d. Est-ce que Jérôme est un bon guide ? ...

e. Est-ce qu'à la fin de la randonnée Florence est en forme ? ...

f. Pourquoi Clara a besoin d'aide ? ...

g. Pourquoi Jérôme a besoin d'aide ? ...

h. Florence et Samuel sont-ils contents de leurs vacances ? ...

Entraînement à l'oral

Vocabulaire

• avis (n.m.)	...	• large (adj.)	...	soif (avoir) (expr. verb.)	...
chemin (n.m.)	...	sûr (adj.)	...	appeler (v.)	...
fermier (n.m.)	...	interdit (adj.)	...	installer (v.)	...
manifestation (n.f.)	...	• chaud (avoir) (expr. verb.)	...	s'asseoir (v.)	...
panneau solaire (n.m.)	...	faim (avoir) (expr. verb.)	...	• rien	...
protection (n.f.)	...	froid (avoir) (expr. verb.)	...		

Prononcez

1. 32 **« s » ou « z » ? Écoutez et cochez.**

	[s]	[z]
a.	☐	☐
b.	☐	☐
c.	☐	☐
d.	☐	☐
e.	☐	☐

2. 33 « a » [a] ou « an » [ã] ? Écoutez et cochez.

	[a]	[ã]		[a]	[ã]
a.	☐	☐	e.	☐	☐
b.	☐	☐	f.	☐	☐
c.	☐	☐	g.	☐	☐
d.	☐	☐	h.	☐	☐

Vérifiez votre compréhension

3. 34 Écoutez : Masculin ou féminin ?

	Masculin	Féminin		Masculin	Féminin
a.	☐	☐	h.	☐	☐
b.	☐	☐	i.	☐	☐
c.	☐	☐	j.	☐	☐
d.	☐	☐	k.	☐	☐
e.	☐	☐	l.	☐	☐
f.	☐	☐	m.	☐	☐
g.	☐	☐			

4. 35 Écoutez et notez l'itinéraire sur le plan.

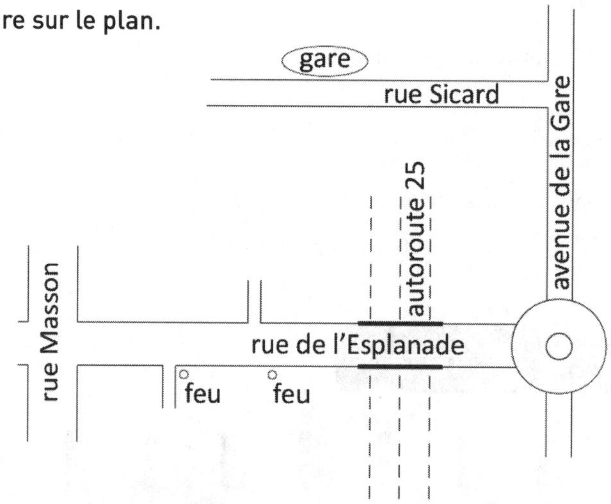

5. 36 Écoutez et regardez le dessin. Dites si les phrases sont vraies ou fausses.

	VRAI	FAUX
a. Le château-hôtel est au milieu du parc.	☐	☐
b. Autour, il y a de l'eau.	☐	☐
c. Le stationnement est devant le parc du château.	☐	☐
d. La piscine est devant l'hôtel.	☐	☐
e. Le tennis est à côté de la route.	☐	☐
f. Le parcours de forme est au bord de la forêt.	☐	☐
g. La terrasse est entre l'hôtel et la piscine.	☐	☐

Pages Écrits et Civilisation

Vocabulaire

• aéronautique (n.f.)	neige (n.f.)	doux (adj.)
automne (n.m.)	peinture (n.f.)	individuel (adj.)
dessinateur (n.m.)	pluie (n.f.)	libre (adj.)
documentation (n.f.)	printemps (n.m.)	mauvais (adj.)
éditeur (n.m.)	propriétaire (n.m./f.)	surpris (adj.)
entreprise (n.f.)	temps (n.m.)	• neiger (v.)
été (n.m.)	vie (n.f.)	pleuvoir (v.)
étude (n.f.)	zéro (n.m.)	recommencer (v.)
hiver (n.m.)	• amateur (adj.)	vivre (v.)

1. **Écrivez ce qui est interdit.**

Il ne faut pas :

a. ……………………

b. ……………………

c. ……………………

d. ……………………

e. ……………………

f. ……………………

g. ……………………

h. ……………………

a

b

c

d

e

f

g

h

Préparation au DELF A1

• Compréhension orale

37 Écoutez et notez.

A.

Nom de la carte : ____________________

Service rendu : ____________________

Conditions d'accès : ____________________

Avantages : ____________________

B.

Nom de la carte : ____________________

Service rendu : ____________________

Prix et durée : ____________________

C.

Nom de la carte : ____________________

Service rendu : ____________________

Avantages : ____________________

• Production orale

Entretien dirigé

Voici les réponses, trouvez les questions.

a. ____________________ ?

– Je travaille tous les jours, le matin et l'après-midi ; le week-end, je m'occupe de ma famille.

b. ____________________ ? – Je me lève à 6 h 30.

c. ____________________ ? – Je vais au travail en tram.

d. ____________________ ? – Je mets une demi-heure.

e. ____________________ ? – Je déjeune à la cantine.

f. ____________________ ?

– Après le travail, je rentre chez moi et je m'occupe de mes enfants.

g. ____________________ ? – Je ne fais pas de musique, je fais du sport.

h. ____________________ ? – Je fais du jogging.

i. ____________________ ?

– Je vais me coucher vers 22 h 30, après le programme de télévision.

Échange d'informations

Voici les informations que vous recevez de la part du professeur.
Écrivez les mots trouvés sur le post-it pour orienter l'échange.

« J'aime voyager, en Europe et en Amérique du Sud, lire, je lis beaucoup de romans policiers, écouter de la musique, surtout du jazz. Je vais souvent au cinéma. Je fais aussi un peu de sport. Et puis j'aime bien mon métier de professeur. »

• Compréhension écrite

Lisez les documents. Pour chaque document, notez :

	A	B	C
Pays de destination			
Durée du séjour			
Prix du séjour			
Moyen de réservation			

VISITEZ LE CAMBODGE

Vous ne connaissez pas le Cambodge ?

Avec ***Voyages Découvertes***

• Les temples d'Angkor • Pnom Penh

• Le Mékong

10 jours – séjour hôtel*** – voyage avion AR

2 500 €

Départ avant le 30 juin

www.voyagedecouverte.com

PRINTEMPS À MADÈRE

Sur les traces de Sissi Impératrice...

Une semaine

Hôtel – voiture – avion compris

800 €

Agence *Traveltour*

01 74 72 74 72

WEEK-END À LONDRES

La ville de **tous les mondes**

200 €

→ en Eurostar classe standard

→ Deux nuits au centre de Londres

→ Le breakfast : l'original

Réservation :

wwww. Hellovoyages.com

• Production écrite

1. Votre ami habite à Avignon, boulevard Raspail. Vous lui donnez rendez-vous place de la Principale. Indiquez-lui le parcours.

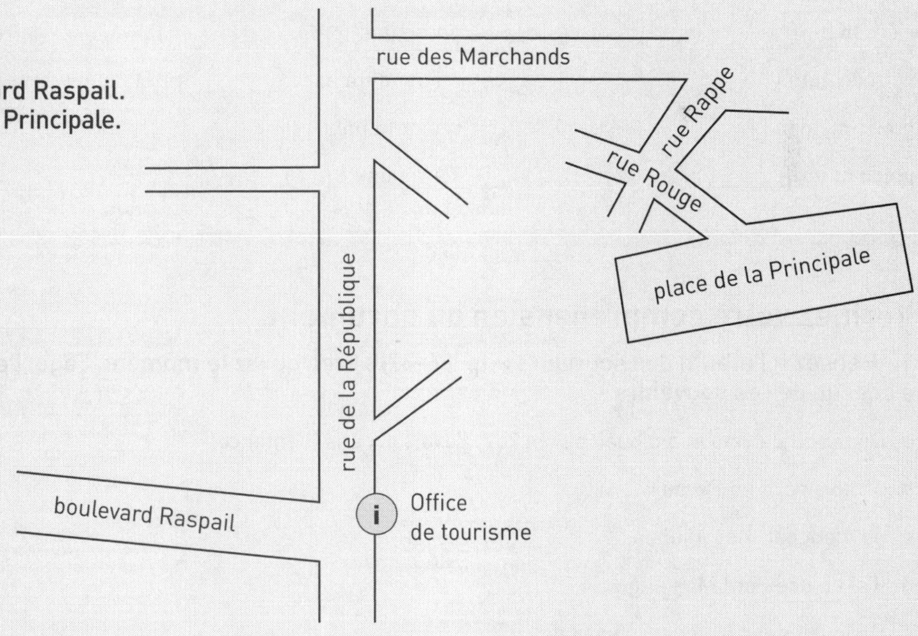

2. Vous cherchez une petite maison avec un jardin. Complétez la lettre à l'aide des informations ci-dessous.

vacances d'été – Bretagne – un mois en août – bord de mer – un séjour, deux chambres, cuisine, salle de bains, WC séparé – avec un garage.

Bretagne Immobilière vacances
5, rue du Parlement
35000 RENNES

Madame, Monsieur,

Je ______________ mes vacances ______________ . Je ______________

une ______________ maison ______________ . J' ______________

également ______________ .

Merci de ______________ .

Avec mes meilleures salutations.

Souvenez-vous

Vous allez apprendre à :

- ☑ demander et donner des renseignements biographiques
- ☑ présenter votre famille et vos amis
- ☑ raconter un souvenir

Travail avec les pages Interactions

Vocabulaire

• adolescent (n.m.) ______	jeunesse (n.f.) ______	toit (n.m.) ______
adulte (n.m./f.) ______	jujube (n.m.) ______	• âgé (adj.) ______
album (n.m.) ______	mathématiques (n.f.pl.) ______	amusant (adj.) ______
BD (bande dessinée) (n.f.) ______	naissance (n.f.) ______	heureux (adj.) ______
collège (n.m.) ______	page (n.f.) ______	mort (adj.) ______
concours (n.m.) ______	placard (n.m.) ______	• danser (v.) ______
dame (n.f.) ______	plan (n.m.) ______	dessiner (v.) ______
élève (n.m./f.) ______	poche (n.f.) ______	mourir (v.) ______
épisode (n.m.) ______	référendum (n.m.) ______	remplir (v.) ______
grand-mère (n.f.) ______	senior (n.m.) ______	se rappeler (v.) ______
guide (n.m.) ______	souveraineté (n.f.) ______	se souvenir (v.) ______

Vérifiez votre compréhension du document

1. Relisez « l'album des souvenirs » (p. 86-87) et retrouvez le moment, l'âge, l'époque ou la saison qui correspond à chacun de ces souvenirs.

a. On faisait du vélo et on jouait au hockey : **j'avais dix ans (l'enfance)**

b. Je suis parti au Pérou : ______

c. Je mangeais des jujubes : ______

d. J'ai eu une Ford Mustang : ______

e. On jouait dans la cour. On lisait des BD : ______

f. Tout un été on a dansé : ______

g. L'école a participé à un concours provincial : ______

Apprenez le vocabulaire

2. Classez :

• du plus petit au plus grand

a. une journée
b. une génération
c. une seconde
d. une heure
e. une saison
f. une année
g. une minute
h. un siècle
i. un mois

• du plus jeune au plus âgé

a. un jeune
b. une personne âgée
c. un bébé
d. un vieux
e. un adolescent
f. un senior
g. un adulte
h. un enfant
i. un préadolescent

3. Mettez dans l'ordre ces moments de la vie.

a. Elle est entrée au cégep.
b. Ils se sont mariés.
c. Elle est morte à 90 ans.
d. Ils ont eu trois enfants.
e. Elle est allée à l'école.
f. Elle est née.
g. Elle a rencontré Julien.

4. Trouvez le nom.

a. mourir → la mort
b. naître → ……
c. se souvenir → ……
d. âgé → ……
e. heureux → ……
f. malade → ……
g. fatigué → ……

Travail avec les pages Ressources

Vocabulaire

• depuis …… pendant ……

Apprenez la conjugaison

Rappelez-vous

■ **Formation de l'imparfait :** à partir de la personne « nous » du présent.
aller → nous **allons** → imparfait : j'**allais**, tu all**ais**, il/elle all**ait**, nous all**ions**, vous all**iez**, ils/elles all**aient**

■ **Emploi de l'imparfait**
→ **Expression des souvenirs.** *Quand il **avait** 12 ans, il **allait** à l'école Guy-Drummond.*
→ **Dans le récit avec le passé composé.** Le passé composé exprime les actions principales. L'imparfait exprime les actions secondaires, les descriptions, les commentaires.
*Pour faire la randonnée, nous **avons mis** 6 heures. Il **faisait** chaud.*
*Nous **étions** fatigués. Nous **sommes arrivés** à 9 heures. Le soleil **se couchait**.*

1. Trouvez les formes de l'imparfait.

Verbes	Présent, 1re personne du pluriel (nous)	Imparfait
parler	nous	je
apprendre	nous	tu
venir	nous	il/elle
être	nous	nous
avoir	nous	vous
dire	nous	ils/elles
boire	nous	je
attendre	nous	il/elle

2. Conjuguez les verbes à l'imparfait et aux formes suivantes :

a. faire	je ______	nous ______	ils ______
b. aller	tu ______	vous ______	elles ______
c. connaître	tu ______	ils ______	nous ______
d. prendre	il ______	nous ______	elles ______
e. étudier	j' ______	nous ______	vous ______

3. Mettez les verbes à l'imparfait.

Souvenirs des années 1990

a. Jean Leloup et Luc De Larochellière (*être*) ______ des chanteurs célèbres.

b. Nous (*écouter*) ______ de la musique techno et du rap.

c. On (*aller*) ______ voir les films de Luc Besson.

d. Je (*lire*) ______ les romans de Dany Leferrière.

e. Nous (*partir*) ______ en vacances dans le Maine.

f. Les jeunes (*vouloir*) ______ jouer aux jeux vidéo.

g. On (*découvrir*) ______ Internet.

h. Le groupe Nirvana (*avoir*) ______ du succès.

i. Le climat (*devenir*) ______ un problème.

j. Nous (*être*) ______ la génération X.

4. Complétez les souvenirs comme dans l'exemple.

a. Aujourd'hui, on écoute du rap. **Avant, on écoutait** du rock.

b. Aujourd'hui, on voyage en avion. ______ en bateau.

c. Aujourd'hui, on fait du surf. ______ du ski.

d. Aujourd'hui, on danse sur de la techno. ______ sur de la disco.

e. Aujourd'hui, on va à Cuba. ______ aux États-Unis.

5. Lisez les réponses. Posez les questions. Utilisez « depuis quand », « depuis combien de temps », « il y a / ça fait combien de temps »...

Interview d'un écrivain

a. ______ ? – J'écris depuis l'âge de 16 ans.

b. ______ ? – Il y a 5 ans que je travaille pour les éditions Colibri.

c. ______ ? – Je n'ai pas écrit de roman depuis 2 ans.

d. ______ ? – J'ai commencé ce roman le 1er janvier.

e. ______ ? – Ça fait un mois que je ne suis pas sorti.

6. « Depuis » ou « il y a » ?

a. Ivan est revenu de Buenos Aires ______ deux mois.

b. ______ son retour, il travaille pour une entreprise d'import-export.

c. ______ trois semaines, il m'a téléphoné, il cherchait un colocataire.

d. ______ cette semaine, nous partageons le même appartement.

7. Mettez les verbes entre parenthèses au passé composé ou à l'imparfait.

a. L'année dernière, nous (*aller*) ______ au Mexique. C'(*être*) ______ au mois de mars.

b. Il n'y (*avoir*) ______ pas beaucoup de touristes. Nous (*être*) ______ tranquilles.

c. Nous (*louer*) ______ une voiture. Elle (*marcher*) ______ très bien.

d. Nous (*visiter*) ______ le Yucatán. Il (*faire*) ______ très beau. J'(*aimer beaucoup*) ______ cette région.

e. Nous (*rester*) ______ deux jours à Cozumel. Mon ami (*avoir envie*) ______ de se reposer.

Vérifiez votre compréhension

8. Répondez à ces questions sur l'histoire « Mon oncle d'Acadie ».

a. D'où vient François Thibodeaux ? ……

b. Depuis combien d'années est-il en Louisiane ? ……

c. Que fait-il en Louisiane ? ……

d. Pourquoi est-il venu en Louisiane ? ……

e. Que faisait le père de François Thibodeaux ? ……

f. Comment s'appelle la fille de François ? ……

g. Quel diplôme a-t-elle obtenu ? ……

Entraînement à l'oral

Vocabulaire

• accident (n.m.) ……
anniversaire (n.m.) ……
cousin (n.m.) ……
dispute (n.f.) ……
écologie (n.f.) ……
écrevisse (n.f.) ……
environnement (n.m.) ……
facteur (n.m.) ……
grand-père (n.m.) ……
mastère (n.m.) ……
mec (n.m.) ……
oncle (n.m.) ……
production (n.f.) ……
recherche (n.f.) ……
réussite (n.f.) ……
roi (n.m.) ……
tante (n.f.) ……
• compliqué (adj.) ……
drôle (adj.) ……
gros (adj.) ……
marin (adj.) ……
stupide (adj.) ……
• exporter (v.) ……
quitter (v.) ……
reconnaître (v.) ……
ressembler (v.) ……
réussir (v.) ……
se fâcher (v.) ……
se marier (v.) ……
• donc ……
longtemps ……

Prononcez

1. 38 Écoutez et répétez le son [j].

a. J'ai pris mon inscription comme étudiante à Lyon.

b. Il est musicien, il s'appelle Julien, il joue à Joliette.

c. Il chantait : « c'est un vieux roman, c'est une vieille histoire... »

d. Hier je ne travaillais pas, j'ai vu l'exposition de Juliette.

e. J'ai payé ton billet pour Pontiac.

Vérifiez votre compréhension

2. 39 Écoutez les phrases : notez le temps du verbe.

	présent	imparfait	passé composé
a.			
b.			
c.			
d.			
e.			

	présent	imparfait	passé composé
f.			
g.			
h.			
i.			
j.			

Parlez

3. 40 **Répondez aux questions sur votre enfance.**

a. Quand vous étiez enfant, vous regardiez beaucoup la télévision ?

– **Oui, je regardais beaucoup la télévision. / Non, je ne regardais pas beaucoup la télévision.**

b. Vous alliez à l'école à pied ? – ....

c. Vous étiez bon élève ? – ....

d. Vous aviez de bons professeurs ? – ....

e. Vous faisiez du sport ? – ....

f. Vous aimiez les jeux vidéo ? – ....

Pages Écrits et Civilisation

Vocabulaire

• agent (n.m.) ....
beau-frère (n.m.) ....
beau-père (n.m.) ....
belle-mère (n.f.) ....
belle-sœur (n.f.) ....
boucherie (n.f.) ....
cachette (en) (n.f.) ....
cannabis (n.m.) ....
commencement (n.m.) ....
conjoint (n.m.) ....
contrat (n.m.) ....
coup de foudre (n.m.) ....
couple (n.m.) ....
espoir (n.m.) ....
fils (n.m.) ....
neveu (n.m.) ....
nièce (n.f.) ....
petite-fille (n.f.) ....
petit-fils (n.m.) ....
pseudonyme (n.m.) ....
sperme (n.m.) ....
tribunal (n.m.) ....
• amoureux (adj.) ....
infidèle (adj.) ....
intime (adj.) ....
malheureux (adj.) ....
religieux (adj.) ....
• divorcer (v.) ....
fumer (v.) ....
hésiter (v.) ....
marquer (v.) ....
retrouver (v.) ....
se comporter (v.) ....
se disputer (v.) ....
se séparer (v.) ....
signer (v.) ....
tomber (v.) ....
• heureusement ....

Apprenez le vocabulaire

1. Trouvez le membre de la famille.

a. le frère de mon père → **mon oncle**

b. le père de ma mère → ....

c. la sœur de ma mère → ....

d. le fils de mon fils → ....

e. le mari de ma sœur → ....

f. la fille de mon oncle et de ma tante → ....

g. le fils de ma sœur → ....

h. le frère de mon mari → ....

2. Complétez l'arbre généalogique avec les informations suivantes :

Sophie et Daniel ont un seul fils.
Yvan a trois enfants.
Chantal est la belle-fille de François.
Lise est la grand-mère de Nathan.
Sophie est la belle-sœur de Christian.
Thomas, William, Emma, Nathan sont les neveux de Christian.
Nathan est le cousin d'Emma.
Thomas est le neveu de Daniel.

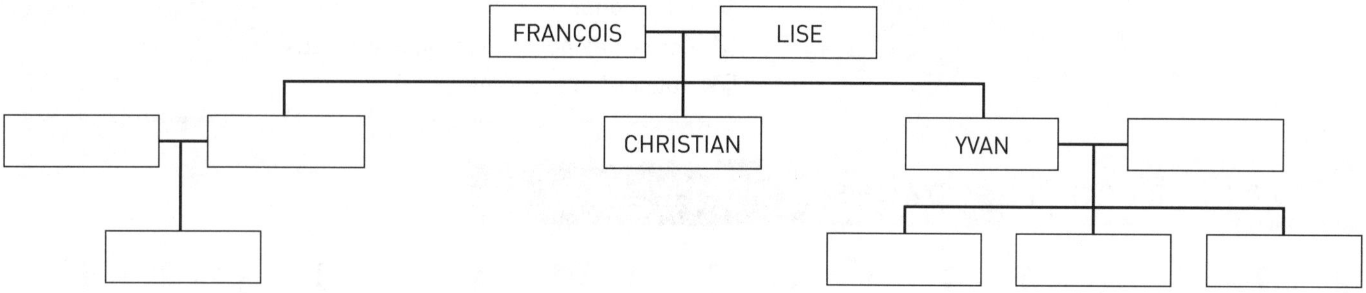

3. Posez la question et donnez la réponse.

a. (*se rencontrer*) **Ils se sont rencontrés quand ? Ils se sont rencontrés** il y a un an.
b. (*se connaître*) .... ? .... au Festival.
c. (*se marier*) .... ? .... après le spectacle.
d. (*se fâcher*) .... ? .... pendant le voyage.
e. (*s'expliquer*) .... ? .... au restaurant.
f. (*se retrouver*) .... ? .... au milieu de la nuit.

Vérifiez votre compréhension

4. Relisez le document de la page 92. Dites si les phrases suivantes sont vraies ou fausses.

	VRAI	FAUX
Starbuck		
a. Valérie attend un enfant.	☐	☐
b. Les enfants savent que David est leur père.	☐	☐
Les Enfants		
c. C'est l'histoire de deux personnes qui ont vécu une séparation.	☐	☐
d. À eux deux, ils ont cinq enfants.	☐	☐
e. Ils tombent amoureux l'un de l'autre.	☐	☐
Lol		
f. C'est l'histoire d'une adolescente qui n'a pas encore eu d'aventure amoureuse.	☐	☐
g. Lola ne comprend pas sa mère.	☐	☐

Écrivez

5. Biographie. Avec les éléments ci-dessous, rédigez une courte biographie de Martin R.

23 décembre 1968 : naissance
1991 : baccalauréat (réussir)
1991-1994 : études de philosophie et de commerce international (continuer)
1995 : maîtrise de commerce international (obtenir)
1996-2000 : travail en Afrique (Côte d'Ivoire, Guinée, Djibouti)
2000-2003 : consultant dans une banque internationale à Londres (devenir)
2007 : nommé conseiller commercial en Allemagne

On s'appelle ?

Vous allez apprendre à :

- ☑ parler des moyens de communication (Internet, etc.)
- ☑ téléphoner
- ☑ écrire des petits messages amicaux
- ☑ utiliser les pronoms

Travail avec les pages Interactions

Vocabulaire

• achat (n.m.) ....
blogue (n.m.) ....
boîte (n.f.) ....
contrat (n.m.) ....
courriel (n.m.) ....
courrier (n.m.) ....
document (n.m.) ....
enveloppe (n.f.) ....
information (n.f.) ....
lettre (n.f.) ....
technologie (n.f.) ....
timbre (n.m.) ....

• accro (adj.) ....
dangereux (adj.) ....
électronique (adj.) ....
facile (adj.) ....
• allumer (v.) ....
connecter (v.) ....
créer (v.) ....
dialoguer (v.) ....
donner (v.) ....
enregistrer (v.) ....
envoyer (v.) ....
imprimer (v.) ....

offrir (v.) ....
prêter (v.) ....
recevoir (v.) ....
répondre (v.) ....
télécharger (v.) ....
téléphoner (v.) ....
tenir (v.) ....
• fois ....
jamais ....
quelquefois ....

Apprenez le vocabulaire

1. Trouvez le nom correspondant au verbe.

Tout ce qu'on peut faire sur Internet

a. créer → **une création**
b. imprimer → ....
c. jouer → ....
d. envoyer → ....
e. chercher → ....
f. participer → ....
g. enregistrer → ....
h. télécharger → ....
i. dialoguer → ....
j. acheter → ....

2. **Associez (il y a plusieurs réponses).**

	1. un blogue
	2. des clavardages
a. envoyer	**3.** des textos
b. télécharger	**4.** des informations
c. chercher	**5.** des films
d. tenir	**6.** un message
e. participer à	**7.** des chansons
	8. des forums
	9. des photos

3. **Complétez avec « toujours / ne ... jamais », « quelquefois, de temps en temps / souvent ».**

Léo et Marco sont différents : continuez selon le modèle.

a. Léo utilise **toujours** son cellulaire.

Marco **n'**utilise **jamais** son cellulaire.

b. Léo va souvent au cinéma.

Marco ……………………………………

c. Léo regarde de temps en temps la télévision.

Marco ……………………………………

d. Léo dîne toujours à midi.

Marco ……………………………………

e. Léo arrive souvent en retard.

Marco ……………………………………

4. **Indiquez les verbes qui expriment une répétition (R).**

a. Il a revu le film *Taxi*. **(R)**

b. Elle a recherché des informations sur Internet. ……………

c. Il a réécouté un vieux disque des Doors. ……………

d. Elle a reconnu dans la rue une ancienne amie du cégep. ……………

e. Au dîner, il a repris du poulet rôti. ……………

f. Après le divorce, elle a repris ses meubles. ……………

g. Ils ont rejoué *Cyrano de Bergerac*. ……………

5. **Complétez avec les prépositions « à » et « de » quand c'est nécessaire.**

a. J'ai prêté ma voiture **à** Marie.

b. Il a écrit une lettre …………… ses parents.

c. Paul raconte …………… une histoire amusante.

d. Marie a montré ses photos de vacances …………… ses amis.

e. J'ai reçu un message …………… Marie.

f. J'ai répondu …………… Marie tout de suite.

g. Lucas a envoyé une carte postale …………… Regina …………… Mélissa.

Travail avec les pages Ressources

Vocabulaire

• assistant (n.m.) ……………………

• remercier (v.) ……………………

• tout le monde ……………………

Utiliser les pronoms

Rappelez-vous

- Pour éviter de répéter les noms, on utilise **des pronoms**.
- Vous connaissez maintenant les pronoms utilisés pour représenter :
  – **le sujet du verbe** : *je, tu, il/elle, nous, vous, ils/elles*
  – **le complément direct du verbe :** *me, te, le/la, nous, vous, les*
  Il n'aime pas ***la télé****. Il ne* ***la*** *regarde jamais. (Il ne regarde jamais la télé)*
  – **le complément après « à » :** *me, te, lui, nous, vous, leur*
  Pierre est au Brésil. Il ***m****'a écrit. Je* ***lui*** *ai répondu. (J'ai répondu à Pierre)*
  – le complément après une préposition autre que « à » et « de » (avec, pour, sans, à côté de, etc.) : *moi, toi, lui/elle, nous, vous, eux/elles*
  Mes amis ont un appartement à Paris. Je loge chez ***eux****.*

1. Observez les phrases : que représentent les mots soulignés ?

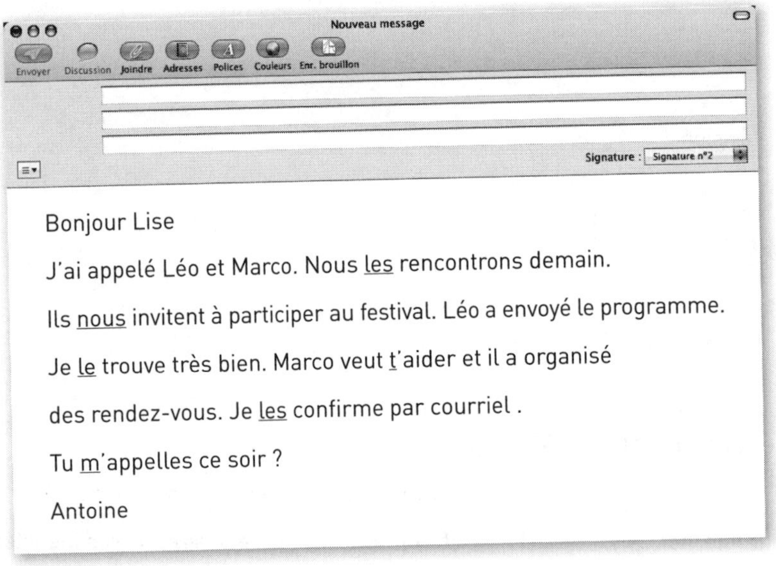

Bonjour Lise

J'ai appelé Léo et Marco. Nous les rencontrons demain.

Ils nous invitent à participer au festival. Léo a envoyé le programme.

Je le trouve très bien. Marco veut t'aider et il a organisé

des rendez-vous. Je les confirme par courriel .

Tu m'appelles ce soir ?

Antoine

a. les : .... – **b.** nous : .... – **c.** le : .... – **d.** t' .... – **e.** les .... – **f.** m' : ....

2. Préparez vos réponses au professeur de français. Répondez « oui ». Puis, répondez « non ».

a. Tu comprends l'explication ? – **Oui, je la comprends. / Non, je ne la comprends pas.**
b. Tu as ton livre ? ....
c. Tu travailles avec Marco ? ....
d. Tu travailles avec Maria ? ....
e. Tu parles français aux stagiaires ? ....
f. Tu as fait le travail ? ....
g. Tu as fait les exercices ? ....
h. Tu as compris le texte ? ....

3. Trouvez les réponses.

a. Vous faites les exercices ? – Oui, **je les fais.**
b. Vous faites le stage ? – Oui, ...
c. Tu prends l'inscription ? – Oui, ...
d. Elle a les horaires ? – Oui, ...
e. Vous connaissez les animatrices ? – Oui, ...
f. Ils traduisent les conférences ? – Oui, ...

4. Remplacez les mots soulignés par un pronom.

Un metteur en scène à un journaliste :

« Je suis très proche des comédiens. Je ________ parle beaucoup. Quand un artiste a des difficultés, il peut ________ parler. Je ________ donne des conseils.

Il faut aussi savoir être dur. Avant une journée importante avec des scènes difficiles, je ________ demande de bien se reposer. Je demande aux techniciens de ________ laisser tranquilles. »

5. Complétez le dialogue avec les pronoms compléments et le passé composé.

La secrétaire de l'agence immobilière et le client

a. Vous avez reçu notre catalogue ? – Oui, ________

b. Vous avez vu nos nouveaux condominiums à vendre ? – Non, ________

c. Vous avez téléphoné à l'agent immobilier pour le rendez-vous ?– Oui, ________

d. Vous avez l'adresse ? – Oui, ________

e. Vous avez parlé au propriétaire ? – Non, ________

Vérifiez votre compréhension

6. Répondez à ces questions sur l'histoire « Mon oncle d'Acadie ».

a. Qu'est-ce que Camille a fait depuis le mois de septembre ? ________

b. Est-ce qu'elle s'est inscrite à l'université ? ________

c. Est-ce qu'elle est allée à Shédiac ? ________

d. Est-ce qu'elle a vu son oncle Patrick ? ________

e. Qui a-t-elle vu ? ________

f. Où est Patrick Thibodeaux ? ________

g. Depuis combien de temps ? ________

Entraînement à l'oral

Vocabulaire

faute (n.f.) ________

finances (n.f.pl.) ________

infirmière (n.f.) ________

ministère (n.m.) ________

numéro (n.m.) ________

porte (n.f.) ________

science (n.f.) ________

tort (avoir) (n.m.) ________

• complet (adj.) ________

faux (adj.) ________

impossible (adj.) ________

possible (adj.) ________

vrai (adj.) ________

• croire (v.) ________

• attention ________

totalement ________

Prononcez

1. **41** **Écoutez et distinguez « ch » [ʃ] et » j » [ʒ].**

	[ʃ]	[ʒ]
a.		
b.		
c.		

	[ʃ]	[ʒ]
d.		
e.		

2. **42** **Différenciez (s), (z), (ch), (j). Répétez et confirmez comme dans l'exemple.**

a. C'est international ? – **C'est très international.**

b. C'est classique ?

c. C'est joli et charmant ?

d. C'est intéressant ?

e. C'est étrange ?

f. C'est attachant ?

Parlez

3. **43** **Les pronoms compléments directs. Répondez selon vos habitudes.**

a. Vous regardez la télévision ? – **Oui, je la regarde. / – Non, je ne la regarde pas.**

b. Vous utilisez l'ordinateur ?

c. Vous lisez les journaux francophones ?

d. Vous connaissez les romans de Michel Tremblay ?

e. Vous écoutez la radio en français ?

f. Vous aimez la cuisine française ?

g. Vous aimez les films québécois ?

4. **44** **Les pronoms compléments indirects. Répondez selon vos habitudes.**

Quelles sont vos habitudes en vacances ?

a. Vous écrivez à vos amis ? – **Oui, je leur écris. / – Non, je ne leur écris pas.**

b. Vous envoyez des courriels à vos amis ?

c. Vos amis vous répondent ?

d. Vous écrivez à votre directeur ?

e. Vous téléphonez à votre ami(e) ?

f. Vous faites des cadeaux à vos amis ?

g. Vous parlez aux autres touristes ?

Vérifiez votre compréhension

5. **45** **Écoutez. Ils s'excusent. Trouvez le dessin correspondant.**

1

2

3

4

Pages Écrits et Civilisation

Vocabulaire

accolade (n.f.) ____	thèse (n.f.) ____	essayer (v.) ____
allô (n.m.) ____	vœu (n.m.) ____	féliciter (v.) ____
• cérémonie (n.f.) ____	• enchanté (adj.) ____	prier (v.) ____
début (n.m.) ____	informel (adj.) ____	regretter (v.) ____
interlocuteur (n.m.) ____	joyeux (adj.) ____	serrer (v.) ____
main (n.f.) ____	• accepter (v.) ____	tutoyer (v.) ____
mairie (n.f.) ____	adresser (v.) ____	vouvoyer (v.) ____
présentation (n.f.) ____	embrasser (v.) ____	• au lieu de ____
situation (n.f.) ____	espérer(v.) ____	

Apprenez le vocabulaire

1. Reliez chaque phrase à une situation.

a. Je le regrette.
b. Je te félicite !
c. Je l'espère.
d. Essaie une autre fois.
e. Je vous embrasse.
f. Je vous en prie.
g. On se dit « tu » ?

1. Julien a réussi à un examen.
2. À un vieux monsieur, au moment d'entrer dans l'ascenseur.
3. Ils ont fait connaissance. Ils s'aiment bien.
4. Lucas n'a pas réussi à bien chanter une chanson.
5. À la fin d'une lettre adressée à ses parents.
6. Hier soir, il est tombé amoureux. Il lui dit qu'il a envie de la revoir.
7. Il n'est pas allé voir *Carmen* à l'opéra. Dommage, c'était un excellent spectacle.

2. Complétez les phrases avec les mots de la liste.

au lieu de – donc – justement – plutôt – presque

Un paresseux

a. Tu dois chercher du travail ____ passer tes journées au café.

b. ____ le journal *La Gazette* cherche un dessinateur.

c. Je connais le directeur. Je l'ai ____ appelé.

d. Tu es ____ intéressé par la photo, je sais.

e. Mais tes dessins sont ____ aussi bons que tes photos.

Vérifiez votre compréhension

3. Reliez chaque phrase à une situation.

a. Salut, tu viens ?
b. Le directeur vous attend.
c. Pierre, tu pars au Brésil la semaine prochaine ?

1. dans une situation professionnelle formelle
2. entre amis
3. entre collègues au bureau

4. Lisez ces documents et complétez le tableau.

Type de message (courriel, carte postale, etc.)	Qui écrit à qui ?	À quelle occasion ?	S'agit-il d'une invitation, d'un remerciement, d'excuses ?
a. un courriel	une personne à ses amis	l'anniversaire du jeune	une invitation
b.	....	....	....
c.	....	....	....
d.	....	....	....
e.	....	....	....
f.	....	....	....

a

Nouveau message

Envoyer Discussion Joindre Adresses Polices Couleurs Enr. brouillon

Salut,
Samedi, ça se passe à La Loco.
C'est mon anniversaire.
Je vous attends toutes et tous.

b

Clément et Clélia
vous remercient
pour vos témoignages d'affection
à l'occasion de leur mariage

c

Bonjour,
Bien rentrée… le séjour a été merveilleux.
J'ai été très heureuse d'être avec vous.
Bonne continuation.
Camille

CANADA

Hélène Duval et Claude Brière
514, rue Émile Bouchard
J7V 0W3 Vaudreuil-Dorion, Québec

d

Pas pu être là pour t'accueillir.
Désolé.
Fais comme chez toi.
Kevin

e

À l'occasion de la Fête nationale
L'ambassadeur de France et Madame
prie Monsieur François Thibodeaux
de bien vouloir assister à la cérémonie
qui aura lieu le 14 juillet à partir de 11 h
42, promenade Sussex Ottawa

f

Bonjour Éric,
Je ne pourrai pas assister à la première de ton film.
Je le regrette beaucoup.
Bonne chance.
Je t'embrasse.
François

Un bon conseil !

Vous allez apprendre à :

- ☑ exposer un problème personnel (problème de relation, de santé, etc.)
- ☑ donner des conseils à quelqu'un qui a un problème
- ☑ téléphoner pour prendre un rendez-vous ou donner une information simple
- ☑ faire face à des situations d'urgence

Travail avec les pages Interactions

Vocabulaire

- • chef (n.m.) ______
- cigarette (n.f.) ______
- compte (n.m.) ______
- conseiller (n.m.) ______
- estomac (n.m.) ______
- informaticien (n.m.) ______
- magazine (n.m.) ______
- maladie (n.f.) ______
- médecine (n.f.) ______
- méthode (n.f.) ______
- paquet (n.m.) ______
- patch (n.m.) ______
- publicité (n.f.) ______
- tabac (n.m.) ______
- trac (n.m.) ______
- truc (n.m.) ______
- • inutile (adj.) ______
- nerveux (adj.) ______
- timide (adj.) ______
- • choisir (v.) ______
- exposer (v.) ______
- guérir (v.) ______
- marcher (v.) ______
- présenter (v.) ______
- refuser (v.) ______
- se sentir (v.) ______
- suivre (v.) ______
- tousser (v.) ______

Apprenez le vocabulaire

1. Trouvez le contraire.

a. Pierre est calme. Marie est **nerveuse**.

b. Cet exercice est difficile. Ce test est ______ .

c. Pierre parle à tout le monde. Marie est ______ .

d. Ce travail est utile. Cet exercice est ______ .

e. Son histoire est vraie. Cette information est ______ .

f. Arriver à 10 h, c'est possible. Arriver à 9 h, c'est ______ .

2. Complétez les phrases.

a. Il est allé à la banque. Il a mis 1000 $ sur son ______ .

b. C'est un gros fumeur. Il fume deux ______ de cigarettes par jour.

c. Avant d'entrer en scène, l'acteur a le ______ .

d. Je vais au bureau à pied. J'aime ______ sur le boulevard.

e. Paul était malade. Il est resté deux jours au lit. Maintenant, ça va mieux. Il est ______ .

f. Pour aller à la cathédrale, il faut ______ les panneaux.

Vérifiez votre compréhension

3. Lisez le document p. 102 et 103. De qui parle-t-on dans les phrases suivantes ?

a. Chez elle, c'est le chef. Il est toujours derrière elle : **le chien d'Émilie**.

b. Ils ont un fils bizarre : ______ .

c. Elle n'a pas d'argent mais on la voit toujours dans les magasins : ______ .

d. Il a peur de parler devant les gens : ______ .

e. Il ne réussit pas à s'arrêter : ______ .

4. Reliez les conseils et les situations.

a. J'ai peur, je tousse et je suis fatigué.
b. Mon chien veut me suivre partout.
c. Je suis timide, je n'aime pas parler en public.
d. Quand je vois une publicité, je vais acheter le produit.
e. C'est notre fils, il se sent très bien chez papa-maman. Nous ne pouvons pas le mettre à la porte.

1. Je vous propose une solution : ne prenez pas d'argent, pas de carte de crédit.
2. Un conseil : respirez profondément.
3. À mon avis, vous devez le laisser seul.
4. Il faut l'aider à trouver un studio en ville.
5. Je vous conseille d'arrêter de fumer progressivement.

5. À quelle situation correspond chaque conseil ?

a. Je vous conseille de réserver une chambre d'hôtel, c'est un congrès important. ______

b. Un conseil : visitez le musée. Il est magnifique. ______

c. Journaliste ?.... À mon avis, il n'y a pas beaucoup de possibilités. ______

d. Je vous propose une solution : payez-moi la moitié maintenant, l'autre moitié dans un mois. ______

e. Faites attention à la neige ! ______

1. Il fait un voyage touristique.
2. Elle cherche du travail.
3. Ils vont prendre la route et écoutent la météo.
4. Elle va faire un voyage professionnel.
5. Il n'a pas beaucoup d'argent sur son compte.

Travail avec les pages Ressources

Vocabulaire

• coureur (n.m.) ______	• monter (v.) ______	• déjà ______
pont (n.m.) ______	s'entraîner (v.) ______	en train de ______

Apprenez les conjugaisons

1. Complétez la conjugaison des verbes en « -yer ».

payer	essayer	envoyer
je paie	j' ______	j'envoie
tu ______	tu ______	tu ______
il/elle ______	il/elle ______	il/elle ______
nous payons	nous ______	nous ______
vous ______	vous ______	vous ______
ils/elles ______	ils/elles ______	ils/elles envoient

Avant, pendant, après l'action

Rappelez-vous

- **Avant l'action**
  Il n'a **pas encore** dîné. *(l'action n'est pas faite)*
  Il **va** dîner. *(futur proche : aller + verbe à l'infinitif)*
- **Pendant l'action**
  Il **commence à** dîner.
  Il **est en train de** dîner. *(présent progressif : être en train de + verbe à l'infinitif)*
  Le téléphone a sonné mais il **continue à (de)** dîner.
  Il **s'arrête de** dîner.
- **Après l'action**
  Il **a fini de** dîner.
  Il **vient de** dîner. *(passé récent : venir de + verbe à l'infinitif)*

2. Voici les verbes, trouvez le nom.

a. débuter : **le début**
b. commencer : ____________
c. arrêter : ____________
d. continuer : ____________
e. finir : ____________
f. reprendre : ____________

3. Lisez ce qu'elle a fait et répondez.

Aller chez le dentiste
✓ Écrire aux services techniques
Appeler Paul
✓ Inviter Clara et Jérôme
Lire le courrier
✓ Répondre à la lettre de Sylvie
Faire les courses
✓ Prendre de l'essence

a. Tu es allé chez le dentiste ? – **Non, je ne suis pas encore allée chez le dentiste.**
b. Il faut écrire aux services techniques ! – **J'ai déjà écrit aux services techniques.**
c. Tu as appelé Paul ? ____________
d. Il faut inviter Clara et Jérôme. ____________
e. Tu as lu le courrier ? ____________
f. Il faut répondre à Sylvie. ____________
g. Tu as fait les courses ? ____________
h. Il faut prendre de l'essence. ____________

4. Complétez avec « commencer à... », « continuer à... », « s'arrêter de... ».

a. André a 80 ans mais il est en pleine forme. Il ____________ faire de la natation. Il ____________ le golf il y a 5 ans. Il vient juste d' ____________ faire du ski.
b. Daniel fume beaucoup ; il ____________ fumer à 13 ans. Aujourd'hui, il a 40 ans, il veut ____________ fumer.
c. Tanguy a 28 ans, il ____________ habiter chez ses parents.
d. Nicolas ____________ voyager seul à 18 ans.
e. Pierre travaille, mais il ____________ étudier. Cette année, il ____________ préparer son doctorat.

5. Faites trois phrases. Dites ce qu'ils viennent de faire, ce qu'ils sont en train de faire, ce qu'ils vont faire. Commencez par la phrase en gras

a. (les amis) → dîner / **prendre un café** / aller au spectacle
Les amis sont en train de prendre un café. Ils viennent de dîner. Ils vont aller au spectacle.

b. (l'étudiant) → **se détendre** / travailler dur / faire la fête

____

c. (les délégués commerciaux) → **se saluer** / finir la réunion / prendre l'avion

____

d. (l'actrice) → jouer la pièce / aller se coucher / **souper**

e. (le jeune) → télécharger / se connecter / **écouter une chanson sur Internet**

6. Vous ne le supportez plus un collègue. Répondez.

a. Tu le supportes ? – **Non, je ne le supporte plus.**

b. Tu vas à la cafétéria avec lui ? –

c. Tu travailles avec lui ? –

d. Tu lui parles ? –

e. Il te parle ? –

f. Tu lui dis bonjour ? –

g. Vous vous regardez ? –

h. Vous vous disputez ? –

7. Rapportez le dialogue de Clément et François.

François : J'ai un problème avec l'ordinateur.

Clément : Qu'est-ce qui se passe ?

François : Je ne sais pas.

Clément : Éteins tout et redémarre.

François : Est-ce que je vais perdre mon travail ?

Clément : C'est possible.

8. Lisez l'article du journaliste. Rédigez le dialogue entre le journaliste et l'actrice.

Journaliste : Bonjour.

Bérengère :

J. :

B. :

J. :

Un journaliste va interviewer une actrice célèbre.
Bérangère me reçoit à l'hôtel Ritz-Carlton. Je lui dis bonjour.
Elle me dit d'entrer et me demande si je veux du thé.
Je lui réponds que j'adore le thé. Je lui dis que j'ai vu son film et que je l'ai trouvé formidable.
Elle me demande où je l'ai vu. Je lui réponds que je l'ai vu à Cannes.
Je lui demande de me parler du tournage.
Elle me dit qu'elle a beaucoup aimé jouer avec Alfredo.

Entraînement à l'oral

Vocabulaire

- • aspirine (n.f.)
- clinique (n.f.)
- crédit (n.m.)
- ligne (n.f.)
- part (de la) (n.f.)
- recherche (n.f.)
- répondeur (n.m.)
- vertige (n.m.)
- • absent (adj.)
- étonnant (adj.)
- exceptionnel (adj.)
- • patienter (v.)
- programmer (v.)
- rappeler (v.)
- remplacer (v.)
- stresser (v.)
- supporter (v.)
- vendre (v.)
- • tout à coup

Prononcez

1. 🎧 46 **Écoutez. Relevez les mots contenant le son [p] et le son [b].**

Son [p] : sportif	Son [b] : beau

2. 🎧 47 **Écoutez l'intonation de l'insistance. Répétez.**

a. Tu crois ? ... Mais si, je t'assure.
b. C'est vrai ? ... Crois-moi !
c. Tu es sûr ? ... Oui, je te dis !
d. Ce n'est pas possible ? ... Si, c'est possible !

Parlez

3. 🎧 48 **Utilisez « encore » ou « ne ... plus ». Répondez selon l'indication.**

Donnez-moi de vos nouvelles

a. Vous travaillez encore à la banque ? – **Oui, je travaille encore à la banque.**
b. Vous habitez encore votre studio ? – **Non je n'habite plus mon studio.**
c. Vous avez encore votre Toyota ? – Oui, ...
d. Vous jouez encore au football ? – Non, ...
e. Vous écoutez encore du jazz ? – Oui, ...
f. Vous faites encore du ski ? – Non, ...
g. Vous voyez encore Florence et Paul ? – Oui, ...

4. 🎧 49 **Écoutez la conversation téléphonique qui a lieu en France. Notez les informations dans le tableau ci-dessous.**

Nom de la carte : ....
Nom de la société : SNCF
Durée : ....
Prix : ....
Moyen de transport : ....
Avantages :
– prix : ....
– types de trains : ....
– pays : ....

5. **À faire après le travail sur les pages Écrits et Civilisation.** 🎧 50 **Écoutez. Trouvez le dessin correspondant à la situation.**

a. J'ai très mal à ce pied.
b. Allô, 911 ? Il y a un feu dans le jardin de mon voisin.
c. Je ne me sens pas bien. Je peux m'asseoir ?
d. J'ai froid. Je tousse. J'ai mal à la tête.
e. Je me suis blessé avec mon stylo.
f. Ah, l'ambulance arrive !

Pages Écrits et Civilisation

Vocabulaire

- agression (n.f.)
ambulance (n.f.)
barbe (n.f.)
blessure (n.f.)
bouche (n.f.)
bras (n.m.)
cheveu (n.m.)
collègue (n.m.)
cou (n.m.)
dent (n.f.)
épaule (n.f.)
fait (n.m.)
feu (n.m.)
grippe (n.f.)
hôpital (n.m.)
jambe (n.f.)
médecin (n.m.)
médicament (n.m.)
moustache (n.f.)
muscle (n.m.)
nez (n.m.)
œil (n.m.)
ordonnance (n.f.)
pharmacie (n.f.)
police (n.f.)
pompier (n.m.)
portefeuille (n.m.)
rhume (n.m.)
seconde (n.f.)
semaine de relâche (n.f.)
sida (n.m.)
urgence (n.f.)
ventre (n.m.)
visage (n.m.)

- bruyant (adj.)
communautaire (adj.)
lent (adj.)
profond (adj.)
privé (adj.)

- critiquer (v.)
fermer (v.)
respirer (v.)
se blesser (v.)
se casser (v.)
tendre (v.)
voler (v.)

- autour de
d'abord
lentement
profondément

Apprenez le vocabulaire

1. Indiquez les parties du corps.

2. Décrivez cette photo. (Aidez-vous du tableau « Pour parler du corps et des problèmes de santé », livre de l'élève, p. 109.)

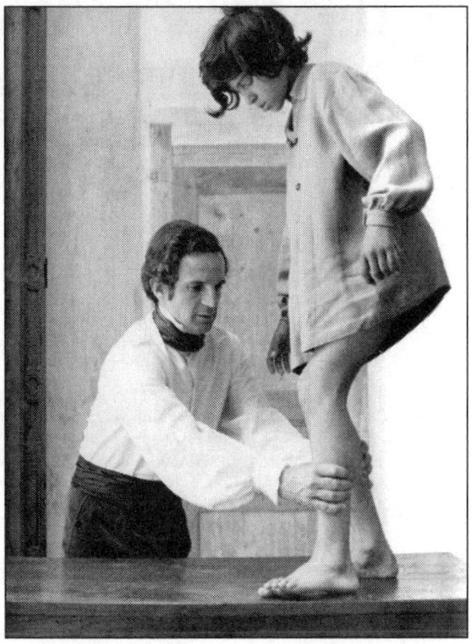

3. Trouvez l'intrus.

a. un médecin – un pompier – un médicament – une ordonnance
b. un rhume – une grippe – une blessure – le sida
c. les muscles – la barbe – la moustache – les cheveux
d. les yeux – les oreilles – le pied – la bouche
e. une clinique – un policier – un médecin – un hôpital

4. Que va-t-il se passer ? Trouvez la conséquence comme dans l'exemple.

a. Il a beaucoup fumé. → **Il tousse.**

b. Le vase est tombé.

→ ……………………

c. L'enfant est tombé de l'arbre.

→ ……………………

d. Elle était malade. Elle a pris tous ses médicaments. → ……………………

e. Le voleur est entré dans la maison. → ……………………

5. Trouvez l'adjectif correspondant au verbe.

a. prononcer → **prononçable**
b. exporter → ……………………
c. imprimer → ……………………
d. expliquer → ……………………
e. présenter → ……………………

6. Qui appelez-vous si…

a. Vous avez perdu vos papiers : ……………………
b. Vous voyez que la maison du voisin est en feu : ……………………
c. Votre voiture a un accident et il y a des blessés : ……………………
d. Vous vous faites voler votre sac : ……………………
e. Vous mettez le feu à votre appartement : ……………………
f. Vous vous blessez au ski : ……………………

7. Complétez avec les verbes « être » ou « avoir ».

Rencontre

J'ai un nouveau copain. Il est chef d'entreprise. Il …………… assez grand. Il …………… un visage rond. Il …………… les cheveux clairs. Il …………… les yeux sombres. Il …………… toujours stressé mais il …………… un grand sourire généreux et il …………… sympathique.

Parlez-moi de vous

Vous allez apprendre à :

- ☑ faire la description physique de quelqu'un
- ☑ parler de vos goûts et de vos activités
- ☑ vous présenter par écrit
- ☑ demander et donner une explication

Travail avec les pages Interactions

Vocabulaire

• caractère (n.m.) ....
cause (n.f.) ....
civilisation (n.f.) ....
compétence (n.f.) ....
conserve (n.f.) ....
loisir (n.m.) ....
partenaire (n.m.) ....
pierre (n.f.) ....
site (n.m.) ....
• bénévole (adj.) ....
chaleureux (adj.) ....
compétent (adj.) ....
courageux (adj.) ....
créatif (adj.) ....
décontracté (adj.) ....
défavorisé (adj.) ....
égal (adj.) ....
intelligent (adj.) ....
naturel (adj.) ....
paresseux (adj.) ....
patient (adj.) ....
sérieux (adj.) ....
simple (adj.) ....
triste (adj.) ....
utile (adj.) ....
• aider (v.) ....
échanger (v.) ....
restaurer (v.) ....
s'amuser (v.) ....

Apprenez le vocabulaire

1. Voici la liste des qualités des différents intervenants du site « Échanges de compétences », p. 110. Classez ces qualités dans le tableau (une qualité peut être dans plusieurs colonnes).
sérieux – bon caractère – chaleureux – patient – dynamique – créatif – timide – décontracté – passionné – courageux – pas compliqué – aime les contacts – compétent – drôle – sympathique.

Qualités personnelles	Qualités professionnelles	Qualités dans les relations avec les autres
	Sérieux dans son travail	

2. Trouvez le contraire : faites correspondre.

a. compétent	**1.** froid
b. dynamique	**2.** impatient
c. courageux	**3.** audacieux
d. patient	**4.** mou
e. sympathique	**5.** simple
f. chaleureux	**6.** détendu
g. passionné	**7.** antipathique
h. timide	**8.** indifférent
i. drôle	**9.** triste
j. compliqué	**10.** lâche
k. décontracté	**11.** stressé
l. tendu	**12.** incompétent

3. Complétez avec le nom ou l'adjectif.

a. Il est compétent. J'aime sa **compétence**.

b. Il est courageux. Il est plein de ....

c. Il est patient. Avec les enfants, il est plein de ....

d. Il est sympathique. J'ai de la .... pour lui.

e. Il a un défaut : sa timidité. Il est ....

f. On lit la tristesse sur son visage. Elle est ....

g. Elle est pleine d'audace. Elle est ....

h. Elle raconte des histoires avec drôlerie. Elle est ....

i. Nous apprécions sa simplicité. Il est ....

j. Il est plein de froideur avec les autres. Il est ....

4. Caractérisez.

a. Il travaille beaucoup : **il est travailleur**.

b. Elle ne parle pas aux autres : ....

c. Il a toujours des idées : ....

d. Il n'a peur de rien : ....

e. Il fait rire les autres : ....

f. Il a toujours peur de ne pas y arriver : ....

g. Il dit toujours bonjour avec le sourire : ....

h. Il ne salue jamais : ....

5. Masculin ou féminin ? Mettez une croix.

	Masculin	Féminin
a. dessinateur		
b. éditrice		
c. propriétaire		
d. producteur		
e. journaliste		
f. infirmière		
g. banquière		

	Masculin	Féminin
h. magicien		
i. réceptionniste		
j. conseillère		
k. chercheur		
l. partenaire		
m. voyageuse		
n. écrivain		

Travail avec les pages Ressources

Vocabulaire

• micro (n.m.) ....

• perdre (v.) ....

Utiliser le pronom « qui »

1. Présentez des informations : caractérisez avec « qui ».

a. Nous habitons une maison ; elle se trouve dans un joli quartier à la campagne.

Nous habitons une maison qui se trouve dans un joli quartier à la campagne.

b. C'est une grande maison ; elle a appartenu à ma grand-mère.

....

c. Nos voisins sont des créatifs ; ils travaillent dans la communication.

....

d. Ils ont deux enfants ; ils ont l'âge de Maxence et Kevin.

....

e. Ce sont des enfants décontractés ; ils aiment faire du sport.

f. Nous organisons ensemble de petites fêtes ; elles rassemblent les voisins du quartier.

g. Finalement j'aime bien la campagne ; elle ressemble un peu à la ville.

Présenter et caractériser

Rappelez-vous

C'est... – Il/Elle est...

- « C'est... » est utilisé :
  – pour identifier
  Qu'est-ce que c'est ? – C'est un cadeau pour Julien.
  Qui est-ce ? – C'est Léa.
  – pour caractériser une chose qui n'a pas été nommée
  Devant un tableau au musée du Louvre : « C'est beau ! »
- « **Il/Elle est...** » est utilisé pour caractériser une chose ou une personne déterminée.
  C'est Léa. Elle est infirmière. Elle est très gentille.

2. Complétez avec « c'est... » ou « il/elle est... ».

a. .... ton nouvel ordinateur ?

b. Oui, ... très performant.

c. On dit qu'............ est très rapide.

d. Oui, ... une Ferrari !

e. Ça va changer ta vie ! .... cher ?

f. Non, ... une promotion. Je l'ai acheté chez Rona.

g. Tu crois qu'............ toujours en promotion ?

Donnez des ordres et des conseils

3. Insistez comme dans l'exemple. Utilisez l'impératif avec pronom.

Victoria donne des conseils à Julien sur la préparation de son prochain voyage.

a. Tu dois appeler l'agence de voyage.

Appelle-la !

b. Tu dois réserver tes billets d'avion.

c. Tu dois confirmer l'heure d'arrivée à l'hôtel.

d. Tu dois préparer ton bagage à main.

e. Tu ne dois pas mettre ton rasoir dans ton bagage à main.

f. Tu ne dois pas oublier ton passeport.

g. Et tu dois m'appeler à ton arrivée.

4. Insistez comme dans l'exemple.

Conseils à un étranger qui étudie le français au Québec

a. Accepte les invitations des Québécois.

Accepte-les.

b. Appelle ta correspondante québécoise.

c. Parle à tes voisins.

d. Regarde la télévision francophone.

e. N'écoute pas la radio de ton pays.

f. Ne sors pas avec les étudiants de ton pays.

g. Pendant les vacances, visite les régions du Québec.

h. Ne tutoie pas ton professeur d'université.

Utilisez les suffixes

Rappelez-vous

■ Pour former un nom d'après un verbe :
- suffixe ***-tion*** *habiter* → *habitation*
- suffixe ***-ement*** *télécharger* → *téléchargement*
- suffixe ***-ure*** *signer* → *signature*

5. Transformez la phrase comme dans l'exemple.

a. Elle a bien participé. → **Bonne participation !**
b. Je vous félicite. →
c. Le magasin ferme à 19 heures. →
d. Il faut changer à la station Jean-Talon. →
e. Il est impossible de se connecter. →
f. Il est interdit d'exporter des animaux. →
g. On a créé un nouveau centre culturel. →
h. La boîte de nuit ouvre à 23 heures. →
i. Télécharger une chanson coûte 0,99 $. →

Entraînement à l'oral

Vocabulaire

• biologiste (n.m.)
contraire (n.m.)
mission (n.f.)
promenade (n.f.)
• hériter (v.)
• surtout

Prononcez

1. 51 Écoutez et distinguez le « eu » [ø] de « mieux » et le « eu » [œ] de « meilleur ».

	[ø]	[œ]
a.		
b.		
c.		
d.		
e.		

Parlez

2. 52 Transformez selon l'exemple.

a. J'ai un cousin ; il est drôle. → **J'ai un cousin qui est drôle.**

b. J'ai une tante ; elle est stupide. → ……………………

c. J'ai un grand-père ; il est âgé. → ……………………

d. J'ai une amie ; elle est amoureuse de moi. → ……………………

e. J'ai une nièce ; elle est amusante. → ……………………

f. J'ai une belle-sœur ; elle est compliquée. → ……………………

g. J'ai un compagnon ; il est décontracté. → ……………………

h. J'ai un neveu ; il est dangereux. → ……………………

Vérifiez votre compréhension

3. À faire après le travail sur les pages Écrits et Civilisation.

53 Écoutez. Retrouvez les personnages d'après les descriptions.

Flore : …………………… Margot : …………………… Clarisse : ……………………

Jérémy : …………………… Arnaud : …………………… Romain : ……………………

1

2

3

4

5

6

Pages Écrits et Civilisation

Vocabulaire

- • architecte (n.m.)
- avocat (n.m.)
- bourgeois bohème (n.m.)
- casquette (n.f.)
- chandail (n.m.)
- chapeau (n.m.)
- chaussette (n.f.)
- chaussure (n.f.) / soulier (n.m.)
- chemisier (n.m.)
- costume (n.m.)
- couleur (n.f.)
- cravate (n.f.)
- écharpe (n.f.)
- foulard (n.m.)
- image (n.f.)
- importance (n.f.)
- jupe (n.f.)
- originalité (n.f.)
- pantalon (n.m.)
- robe (n.f.)
- style (n.m.)
- taille (n.f.) / grandeur (n.f.)
- tee-shirt (n.m.)
- veste (n.f.)
- vêtement (n.m.)
- • bleu (adj.)
- blond (adj.)
- brun (adj.)
- châtain (adj.)
- étroit (adj.)
- jaune (adj.)
- long (adj.)
- marron (adj.)
- mince (adj.)
- moyen (adj.)
- noir (adj.)
- rond (adj.)
- roux (adj.)
- tanné (adj.)
- violet (adj.)
- capoter (v.)
- • mesurer (v.)
- paraître (v.)
- porter (v.)

Vérifiez votre compréhension

1. Choisissez la candidate au poste de chargée de communication. Associez la description à chacun des portraits.

1

2

3

Elle a une allure très féminine, elle est souriante, elle est habillée strictement ; elle porte une veste et une jupe noire, un chemisier blanc ; elle est dynamique, compétente et sérieuse.

Elle fait un peu adolescente ; elle est petite ; elle porte des baskets, un jean large et une veste longue ; elle est très décontractée, souriante et chaleureuse.

Elle a un look de créatif ; elle est de taille moyenne ; elle porte une tenue décontractée (tee shirt, veste, pantalon) ; elle est cultivée, intelligente et compliquée.

2. **Relisez le document « À chacun son look », p. 116. Reliez la façon de s'habiller, le type social et la profession.**

Type social	Façon de s'habiller	Profession
Le décontracté	**a.** années 60	**1.** architecte
Le créatif	**b.** jogging et baskets	**2.** sans travail
Le jeune	**c.** classique	**3.** chef d'entreprise
Le décideur	**d.** tout en noir	**4.** étudiant
Le bobo	**e.** jean et tee-shirt	**5.** professeur d'université

Écrivez

3. **Décrivez ces trois personnes selon le modèle.**

Il/Elle est ... Il/Elle a ... Il/Elle porte ...

a. ________________

b. ________________

c. ________________

Préparation au DELF A1

• Compréhension orale

1. 54 **Écoutez les documents sonores et dites pour chacun d'entre eux de quoi il s'agit.**

	A	B	C	D
Information sportive				
Information culturelle				
Météo				
Voyage d'affaires				
Rendez-vous professionnel				
Réservation d'hôtel				
Voyage touristique				

2. Quel document correspond à :

	A	B	C	D
un message téléphoné				
un répondeur				
une conversation téléphonique				
une messagerie				

3. Retrouvez les informations.

• A

Où : ……………………

Titre du film : ……………………

Horaire des séances : ……………………

• B

Durée du séjour : ……………………

Nombre de personnes : ……………………

Type de chambre : ……………………

• C

Destination : ……………………

Moyen de transport : ……………………

Jour de départ : ……………………

Heure de départ : ……………………

Numéro de vol : ……………………

Aéroport : ……………………

• D

Objet du message : ……………………

Jours : ……………………

Heure : ……………………

• Production orale

Récit

Chassez l'intrus.

Voici des ensembles de mots qui correspondent aux différents moments d'un récit. Il y a un intrus.

Trouvez lequel et dites à quel moment du récit il correspond.

a. Avant l'histoire :

il y a un an ; la semaine dernière ; il y a quelques jours ; par la suite

……………………

b. Au début de l'histoire

au début ; d'abord ; au départ ; à ce moment-là

……………………

c. Pendant l'histoire

ce jour-là ; au même moment ; en même temps

d. Pendant l'histoire, à la suite

le lendemain ; c'est alors que ; la semaine suivante ; en fin de compte

e. À la fin de l'histoire

enfin ; finalement ; puis ; en conclusion

Échange d'informations

Voici le résumé de la vie professionnelle et personnelle de Karim. Trouvez les questions.

1998 : arrivée de Karim à Paris.
1999 : stage au journal *Le Parisien*.
2000 : journaliste sportif au journal *Le Parisien* : s'occupe du rugby, du football et du tennis.
2001 : rencontre avec Véra.
2002 : installation rue Lepic.
2003 : naissance d'Ottavio.
Depuis 2004 : journaliste à *L'Équipe*. Spécialiste du football.

• Compréhension écrite

1. Lisez les documents.

A

Salut tout le monde
La Fête des premières du lycée, c'est

VENDREDI À PARTIR DE 19H30 AU GYMNASE

On a la permission de minuit !
N'oubliez pas les quiches, les pizzas, les salades, les chips et le Coca

DJ MANU assurera l'ambiance
Eux et MOI

B

Nouveau message
Envoyer Discussion Joindre Adresses Polices Couleurs Enr. brouillon

De : Léo
A : Sarah

Très content de t'avoir rencontrée chez Lisa. J'ai compris que tu aimais bien le cinéma.
« Swimming pool » de François Ozon, tu as envie ?
Si oui, rendez-vous mercredi à UGC Cité Ciné à 14 h.
Ne réponds surtout pas mais fais-moi la surprise.

C

Chère Karine,
Buenos Aires, c'est GÉANT !
Quinze jours à visiter et à faire la fête... Temps superbe : février, c'est idéal.
Je sais tout du tango porteño.
Loïc

Karine Marty
12 rue des Matelots
44000 NANTES

2. Identifiez chaque document.

	Document A	Document B	Document C
Flyer			
Carte postale			
Courriel			

3. Pour chaque document, trouvez :

	Document A	Document B	Document C
Qui écrit ?			
À qui ?			
À propos de quoi ?			
Quand ?			
Où ?			

• Production écrite

On vous a volé votre sac. Complétez la fiche de police.

COMMISSARIAT DE POLICE

Déclaration de vol

NOM ____________________ PRÉNOM ____________________

Nationalité : ____________________ Né(e) le : ____________________

à ____________________

Adresse : ____________________

Quand : ____________________

Où : ____________________

Objet volé : ____________________

Forme : ____________________

Couleur : ____________________

Signes particuliers : ____________________

NOTES